KB082217

봐봐, 생각날 거 같지?

봐봐, 생각날 거 같지?

원규비

라빔

하이

이지민

정주영

포도주

이철희

글Ego

-글을 쓰고 싶지만 주저하고 있는 당신에게-

당신은 이 책을 어떤 마음으로 펼치셨을까요? 당신의 가족이나 친구가 어떤 글을 썼을까 궁금하실 거예요. 혹시나 당신의 이야기가 나올까? 하는 설렘과 기대감이 있지는 않으셨나요? 분명한 건 당신의 가슴에도 전하고 싶은 이야기가 가득하다는 거예요. 우리 역시 그런 마음으로 모였고, 글을 쓰기 시작했습니다.

소설 속 인물들은 상처받고 아파하고 그럼에도 인간으로서의 아름다운 가치를 간직하고 살아갑니다. 비단 소설 속만의 이야기는 아니겠죠. 당신의 삶 역시 사랑하고, 상처받고, 다른 이에게 상처를 주기도 합니다. 이기적이면서도 동시에 이타적인 모습도 존재하죠. 소설

속 인물처럼 여러분도 저도, 매일 고군분투하며 살아내고 있습니다. 감사하게도 말이죠.

　당신의 이야기를 떠올리며 일곱 편의 개성 넘치는 글을 어루만지듯 읽어주세요. 그리고 당신 역시 이야기를 꺼내 볼 용기를 내시길 바랍니다.

　6주 동안 소중한 책이 나오도록 밤새워 가며 애써 준 7명의 작가님과 조주헌 작가님께 감사 인사를 드립니다. 모두 행복하세요!

- 공동저자 中　원규비

차 례

모모코

원규비

원규비
어느 해 봄, 바닷가에서 태어났다. 공상과 상상하는 것이 습관이 되어
버렸다. 중학생 때 '베르나르 베르베르'의 〈개미〉를 밤새워 읽을 만큼
책을 좋아했고 2019년 '무라카미 하루키'의 〈해변의 카프카〉를 읽으
며 소설가가 되겠다고 다짐했다.
예술적 시각으로 상상하며 글로 서술하는 것이 즐겁다. 삶의 잔혹함과
아름다움을 표현하려는 갈망이 있다. 삶의 부조리를 비판하는 사고가
머릿속을 가득 채워 폭발하려 할 때, 사유하는 것을 문장으로 표현한
다. 사유가 글로 표현될 때 카타르시스를 느낀다. 소설을 쓰는 동안에
는 인물을 연기하는 배우가 된다.

인스타그램: @gu_be8023

엄마가 살인자라는 사실을 받아들이기 힘들었다. 상냥했던, 다정했던, 곱디고운 엄마와 할머니, 우리 셋이 함께 했던 짧았던 시간이 그리웠다. 엄마의 미소가 떠오르면 가슴이 아르르 저리며 와 아팠다. 깊이를 알 수 없는 구덩이가 생긴 듯한 아픔이며 슬픔이었다. 그 허한 슬픔은 멈추지 않았다.

여덟 살 나의 삶은 평범했다. 엄마는 흰 피부에 어울리는 옅은 핑크빛 립스틱을 발랐다. 핑크빛 입술이 엄마를 돋보이게 했고 난 그것이 좋았다. 다정했던 엄마와 그런 엄마를 무척 사랑했던 아버지 사이에서 사랑받으며 자랐고 우리 가족은 완벽했다. 엄마의 요리 솜씨는 마을에서도 유명했는데, 특히 마제 소바는 유명 맛집에 견주어도 뒤지지 않았다. 아버지와 처음 만났던 곳도 마제 소바 전문점이라고 했다. 바에 나란히 앉은 두 사람은 아버지가 엄마의 그릇을 밀쳐내어 바닥에 떨어뜨리는 필연으로 시작되었다. 그날 아버지는 처음 만난 어머니에게 사랑을 고백했다.

엄마가 그 이야기를 해 줄 때마다 즐거웠다. 나 또한 그런 우연한 만

남으로 사랑에 빠지길 바랐다. 감정 표현이 서툰 일본 남자와는 다르게 아버지는 엄마에게 무척이나 다정했다. 간질간질한 사랑한다는 말을 아침마다 남기고 출근했다. 그럴 때마다 얼굴이 발그레해지는 엄마의 모습을 보는 것이 재미있고 즐거웠다.

"나도 아빠처럼 간지러운 남자를 만날 거야."

"모모코. 간지러운 남자가 뭐야?"

"엄마가 말했잖아요. 당신은 간지러운 남자예요. 라고요."

어머니는 내 말에 부끄러운 듯 웃고는 내 양쪽 겨드랑이에 손을 넣어 간지럼을 태웠다.

부모님은 저녁 식사 후에는 맥주를 마시면서 영화를 봤다. 두 분은 추리 수사물을 좋아했는데 특히 〈언페어〉라는 추리 드라마를 빠짐없이 보셨다. 아버지는 경찰로 나오는 여주인공이 엄마와 닮았다고 말했다. 나는 그때마다 엄마가 '에이타씨'보다 훨씬 이쁘다고 말했다. 맥주를 마시는 두 사람 사이에 끼어 아버지가 좋아하는 누에콩 조림을 주워 먹었다. 이런 평범한 일상이 당연한 줄 알았다. 그러나 그 당연함이 당연하지 않다는 것을 알게 된 사건은 그리 멀지 않게 동일본 대지진처럼 갑자기 집안을 덮쳤다.

열 살이 되던 해에 흰 눈이 쉬지 않고 종일 내리더니 마을을 집어삼켰다. 세상은 전부 하얗게 변했고 나는 하얀 행성에 떨어진 여행자였다. 엄마와 평범하지 않은 눈사람과 평범하지 않은 집을 만들었다. 손가락 끝이 얼어 감각이 사라지는 것을 참아가며 그 시간을 억지로 잡고 있었다. 두 번 다시는 이 시간이 오지 않을 것처럼. 어쩌면 나는 알

앉을지도 모른다. 앞으로 엄마의 양 볼이 붉어지고 코끝이 붉게 변할 것이 추위 때문만은 아닐 것을. 추위로 몸의 모든 감각이 사라지는 것보다 더 두려운 것이 다가오고 있다는 사실을. 해가 지고 어둠이 서서히 집 앞까지 찾아들었다. 훈훈한 기운이 남아있는 집으로 들어와 엄마가 해 준 마제 소바를 배불리 먹고 만화를 보았다. 폭설 때문에 길이 막혀 늦게 귀가하는 아버지를 걱정하며 엄마 품에 잠들었다. 푸른색 앞치마에 남겨진 음식 냄새와 엄마 특유의 냄새를 온몸으로 누리고 있었다. 행복했다.

  꿈속 엄마의 웃음에 답례하듯 미소를 짓는 순간, 시끄러운 소리에 놀라 눈이 번쩍 떠졌다. 두근거리는 작은 심장에 손을 대고 아래층으로 내려갔다. 아무도 없었다. 그러나 눈보라 괴물이 내는 소리가 부모님 방에서 들렸다. 살며시 발길을 옮겨 방문 앞에 섰다. 방문의 좁디좁은 틈으로 날카롭고 거센 괴물의 소리가 틈새를 뚫고 새어 나오려고 했다. 그날, 부모님이 매섭게 싸우는 걸 처음 보았다. 곧바로 방문이 열리고 아버지가 소리를 내 지르며 거칠게 걸어 나왔다. 아버지의 날카롭고 거센 굉음에 난생처음으로 공포를 느꼈다. 행복했던 우리 집의 벽은 갈라지고 거칠게 흔들렸다. 땅속 틈이 벌어지며 마그마로 변한 아버지가 뒤틀리며 튀어나와 집안의 물건을 쓸어 담아 휘갈겼다. 아버지는 지진을 삼킨 거대하고 붉은 괴물이었다. 나는 지진을 몰고 온 검붉은 마그마 괴물을 피해 내 방 벽장에 뛰어 들어가 숨었다. 작은 손으로 작은 입을 틀어막고 흐느껴 울었다. 아래층에서 들려오는 가학적인 악다구니가 내 아름다운 세상을 파괴하고 있었다.

얼마나 지났을까? 잠들었던 정신이 깨어났고 벽장에서 소리 없이 움직였다. 소리를 삼킨 듯한 고요한 집안이 두려워 살금살금 내려왔다. 아래층은 적막하고 공허한 붉은 화산재가 휘날리고 있었다. 부모님 방으로 몇 걸음 걷는 동안 내 작은 심장이 미친 듯이 요동치며 튀어나오려고 했다. 놓치지 않으려고 작은 가슴을 손바닥으로 꼭 눌러 잡았다.

양손으로 헝클어진 머리를 감싼 엄마는 벽에 기대어 앉아 있었다. 옷장과 서랍장 문은 멍한 엄마의 표정처럼 힘없이 열려 있었다. 옷장 가득했던 아버지 양복이 사라져 텅 비어 있었다. 엄마의 화장대에 있던 물건들은 방바닥에 나뒹굴었다. 엄마가 가장 아끼던 아버지가 사주신 노란색 원피스는 엄마의 모습처럼 갈가리 찢겨 있었다. 화산재에 싸여 있는 멍한 눈빛의 엄마가 나를 바라보며 두 팔을 벌리고 이리오라고 했다. 슬픔을 가득 안은 엄마의 품에 안겼다. 엄마는 바들바들 떨면서 흐느꼈다. 나는 묻지 못했다. 그날 이후에도, 이유를 영원히 묻지 못했다. 묻지 못한 것이 내내 미안했다. 괜찮다고 말하지 못한 것이 미안했다. 그때 괜찮다고 말했다면 엄마는 정말 괜찮았을지도 모른다.

그 후 지진을 일으킨 검붉은 마그마 괴물로 변한 아버지를 한동안 보지 못했다. 아버지가 잠시 검붉은 마그마로 변했지만, 따뜻한 분이었다. 아니 따뜻함이 남아있을 거로 생각했었다. 이후, 열아홉 살에 다시 찾아갔을 때 알았다. 그는 마그마로 태어나 검붉은 마그마로 살았다는 것을.

엄마와 함께 도쿄도 마치다시에 있는 외할머니 집으로 이사했다. 할머니 집은 현대식 2층 건물이었지만 작은 정원이 있었다. 그곳에 여러 채소를 직접 길렀다. 엄마는 마트에서 사서 먹지 않고 귀찮게 일을 하냐고 볼멘소리했다. 머지않아 나도 한편에 작은 땅을 차지해 미니 토마토를 키우는 재미에 푹 빠졌다. 할머니는 할아버지 고향인 이 마을에서 농사를 지으면서 오랫동안 살아왔다. 마을이 개발되면서 현대식 건물로 바뀌었지만, 할머니 집처럼 작은 정원이 딸린 집이 많았다. 할아버지는 내가 어렸을 때 죽었기 때문에 기억나는 게 없었다. 할머니에게 가족은 나와 엄마뿐이었다. 나에게도 가족은 엄마와 할머니뿐이었다.

"할머니의 엄마는 어디 있어요?"

"응? 아주 아주 먼 곳에 있지."

"우리 엄마도 할머니의 엄마를 본 적이 없대요."

"그렇지. 할머니 열두 살에 마지막으로 봤으니, 네 어미도 본 적이 없지."

"그럼, 할머니 고아였어요?"

"그런 거 같구나. 어쩌다 보니 고아가 되었지. 전쟁이 그렇게 무서운 거란다."

"전쟁이요? 전쟁 때 고아가 된 거예요? 어떤 전쟁이요? 할머니도 엄마 아빠가 보고 싶어요?" 나는 궁금한 게 많아 연거푸 질문했다.

"……그럼. 많이 보고 싶지. 매일 울었지." 할머니의 처진 듯한 검은 눈동자에 눈물이 맺혔다.

"할머니…… 울어요?"

"응? 그러게. 눈물이 나오는구나. 늙어도 이 눈물은 마르질 않아. 그것참 신기하지. 할머니도 엄마 생각하면 눈물이 나오는 걸 보니."

살며시 할머니의 목에 양팔을 감싸 안았다. 할머니만 가지고 있는 특유의 냄새가 따스했다. 엄마와는 또 다른 냄새였다. 내가 할머니를 안아준 것인지 할머니가 나를 안아준 것인지 몰랐다. 우리는 서로에게 있는 아픔의 냄새를 꼭 껴안았다.

새로운 학교로 가는 아침, 엄마 대신 할머니가 도시락을 챙겼다는 것에 골이 난 상태로 등교했다. 할머니 뒤로 끌려가듯 걷다 보니 낯선 학교 건물에 걱정이 되어 길 잃은 강아지마냥 어쩔 줄 몰라 했다. 할머니 손에 이끌려 눈썹이 진하고 은색 안경을 쓴 선생님에게 인사 하고 교실에 들어섰다. 낯선 아이들의 시선이 나에게 닿아 있음에 놀라 고개를 푹 숙였다. 잘못한 것도 없는데 울고 싶었다. 할머니가 있을 거로 생각하고 문밖으로 고개를 돌렸지만 보이지 않았다. 선생님 옆에 서서 내 이름을 나지막한 목소리로 말하고 빈 책상으로 걸어가 앉았다. 아이들이 나를 힐긋거렸다. 그 눈길이 몹시 불편하여 고개를 들지도 못했다. 혹시나 아버지 없이 엄마와 할머니와 사는 아이라고 놀림을 받진 않을까? 두려웠다. 누구와도 가까이 하고 싶지 않았다. 순간 검붉은 마그마가 떠올라 눈물이 나오려고 했다.

동물원에 갇힌 동물처럼 힐긋거리는 시선을 느끼며 불편한 시간이 흘렀다. 엄마가 챙겨 주길 바랐던 도시락은 없었다. 입술을 삐죽거리며 할머니가 만든 도시락의 뚜껑을 열었다. 닭튀김과 계란말이, 문어 소시지, 매실 절임이 멋스럽게 담겨 있었다. 도시락이 흡족해 몇 시간 만에 처음으로 입술과 눈꼬리가 올라가는 것을 느꼈다. 엄마가 해 주던 문어 소시지와 모양이 똑 닮았다. 엄마가 할머니의 비법을 그대로 본받은 것 같았다. 매실 절임은 엄마가 해 주던 맛과는 확연히 달랐다. 훨씬 달고 새콤했다. 새콤한 맛을 좋아하지 않던 나는 장아찌를 씹을 때마다 인상을 찌푸렸다. 그러나 그 맛은 금세 중독된 듯 계속 젓가락질하도록 자석처럼 끌어당겼다. 새콤함에 눈을 찡긋거리며 고개를 들어 옆을 보았다.

내 모습을 바라보는 아이가 있었다. 옆자리에서 빤하게 나를 바라보는 녀석의 이름은 '쥰'이였다. 하굣길에 내 뒤를 졸졸 따라오더니 별안간 앞으로 서 가로막고는 말했다.

"야! 난 쥰이야. 오늘 사랑에 빠진 거 같아. 앞으로 너만 좋아할 거야. 내가 평생 지켜줄게. 우리 아빠는 이 마을에서 가장 무서운 경찰이야. 그래서 나도 경찰이 돼서 널 지켜줄 거야!"

"뭐야! 놀랐잖아."

"미안해……. 저기……. 내가 집까지 같이 가 줄까? 너 학교 처음 왔잖아……."

"나도 길은 알아!" 안다고 말했지만 기억나지 않았다. 할머니와 여러 번 오고 가며 기억할 줄 알았는데, 이 녀석 때문에 당황했는지 순간 방향을 잃었다. 왼쪽이었나? 오른쪽이었나? 불안한 마음에 두리번거렸다. 와! 오른쪽 길 끝에 나를 향해 손을 흔드는 할머니 모습이 보였다.

"저쪽이야." 쥰을 바라보며 당당하게 말했다.

할머니가 나를 기다리고 있다는 사실과 친구가 생겼다는 것에 저절로 입꼬리가 올라갔다. 나보다 작은 키에 터질듯한 통통한 볼살이 있던 쥰은 친절했고 항상 내 편이 되어 주었다. 덕분에 둘이 사귄다는 소문이 돌아 아이들의 놀림거리 대상이 되었지만 내 편이 생긴 건 든든하고 멋진 일이었다.

우리는 학교만큼이나 넓은 '오야마다이리 공원'에서 자전거를 타거나 나무 위를 올라가거나 공원 안 작은 연못에 돌을 던지며 놀았다. 공원에 낮은 수풀 더미 사이에 우리만의 비밀 공간을 만들어 아끼는 물건이나 간식을 챙겨와 숨겼다. 쥰은 내게 자전거 타는 법을 가르쳐 주었고 몇 시간씩 공원 주변을 달렸다.

쥰은 우리 집에서 할머니가 차려 준 저녁을 먹고 만화를 보다가 늦게 집에 들어갔다. 어느 날은 숙제하다 잠들어 다음 날 학교에 같이 가기도 했는데 쥰의 어머니는 그때마다 매우 미안해했다. 하지만 나는 재미있는 쥰이 있어서 좋았다.

"할머니 요리는 신기해요. 그동안 먹어봤던 것과는 매우 달라요."

"그렇지? 우리 할머니는 요리마법사야."

나와 쥰은 할머니가 만들어 준 몬자야키를 씹으며 재잘거렸다. 쥰의 입안에 가득 찼던 채소와 오징어살이 입 밖으로 튀어나와 내 접시에 떨어졌다.

"억! 더러워. 쥰! 뭐 하는 거야?"

"미안해. 미안해."

"줜! 네가 다 먹어!" 얼굴을 잔뜩 찌푸리며 말했지만 줜은 날 웃게 하는 유일한 친구였다.

우리는 몬자야키를 한입 가득히 밀어 넣고 깔깔거리며 웃었다. 할머니도 우리를 보며 즐거워했다. 웃는 할머니를 보며 더욱 깔깔거렸다. 입안에 가득한 몬자야키는 아삭아삭한 식감과 매콤한 맛이 나는 것이 새로웠다. 나중에 알았지만, 매콤한 몬자야키의 비밀은 할머니의 김치가 들어간 덕분이었다.

할머니는 '김치'라는 이름의 반찬을 종종 만드셨다. 김치를 만드는 날이면 나와 줜은 옆에 서서 눈을 동그랗게 뜨고 구경했다. 할머니는 손만 바쁜 것이 아니었다. 우리의 끝나지 않는 질문에 답하느라 분주하셨지만, 큰소리 한번 내지 않았다. 오히려 옆에 있던 엄마가 "아! 진짜 정신없네. 좀 조용히 좀 있을래?" 하고 날카롭게 소리를 내질렀다.

할머니는 커다란 배추를 손질하고 배추를 잘라 네 덩어리로 만들었다. 내가 들어가 씻어도 될만한 큰 그릇에 물을 담고 소금을 가득 쏟아부었다. 할머니는 주름이 자글자글한 투박한 손으로 휙휙 젓고 자른 배추를 덩어리 채 담갔다. 배추가 종일 소금물에 쪼그라들고 작아진 모습을 보고는 우리는 신기해서 손가락을 콕콕 눌러 보며 키득거렸다. 할머니는 커다란 그릇에 알 수 없는 재료들을 한데 넣어 뻘건 색의 양념을 만들었다. 그리고 쪼그라들어 힘없는 배추 구석구석에 그 뻘건 양념을 골고루 묻혔다. 우리도 구경하다 할머니를 따라 거들었다. 그것을 입에 넣으면 혓바닥에 불이 난 것처럼 뜨겁고 매운맛이 강해 그날 밤은 배가 아파 잠들기도 힘들 정도였다. 그래도 그 맛이 좋아서 반찬으로 상에 오를 때마다 젓가락을 바쁘게 오갔다.

　내가 웃음을 되찾고 있을 때 어머니의 슬픔은 깊어졌다. 낮에는 식당에 나가 일을 하고 저녁 늦게 돌아왔다. 어머니는 늘 지쳐 보였고 눈동자는 물을 가득 머금은 소낙비구름 같았다. 웃음을 잃어버린 병이라도 걸린 듯 아무것도 하지 않고 멍하니 앉아 있거나 늦은 시간까지 혼자 텔레비전을 보면서 술을 마시다 잠들었다.
　"엄마. 엄마가 해 주는 마제 소바가 먹고 싶어요."
　"할머니에게 해 달라고 해."
　어머니는 침대에 누운 채 나를 보지도 않고 답했다.
　"모모코 이리 오렴. 할머니가 해 주마. 할머니도 잘 만든단다."
　"싫어요. 난 엄마가 해 준 마제 소바가 먹고 싶어요. 엄마 미워. 나랑 놀아주지도 않고!"
　어머니는 더 이상 다정했던 엄마가 아니었다. 노래를 불러주지도 않고 그림책을 읽어주지도 않았다. 내 도시락도 식사도 아무것도 챙겨 주지 않았다. 당연했던 것들을 더 이상 하지 않기로 마음먹은 건지, 마음먹은 게 아무것도 하지 않기인지, 나를 잊은 건지, 나를 잊으려고 하는 건지 어머니가 미웠다. 그러나 할머니는 그런 어머니에게 큰 소리 한번 내지 않았다. 내가 가여운지 말없이 꼭 안아주기만 했다.
　할머니는 어머니 대신 나의 긴 머리카락을 빗겨주었다. 어머니의 머리카락을 빗겨줬다던 나무로 만든 오래된 빗이었다. 빗 등에는 분홍 꽃의 반쪽만 남은 희미한 그림이 있었다. 그 꽃이 무엇이냐고 물었다. 할머니는 너무 오래전부터 가지고 있어 기억나지 않는다고 했다. "할머니는 왜 다 기억이 안 나요? 바보라도 된 거예요?"라고 짓궂게 물었다. 거울로 나를 바라보던 할머니는 씩 하고 미소 지었다. 할머니는 그냥 웃기만 했다.

"우리 모모코. 어디서 이렇게 사랑스러운 아이가 왔을까?"

할머니의 다정한 말에 신이 났다. 머리를 빗겨주면서 노래를 불러 줬는데, 어느새 외워서 뜻도 모르는 노래를 따라 불렀다. 나중에 알게 되었지만 '사의 찬미'라는 한국 노래였다.

광막한 광야에 달리는 인생아
너의 가는 곳 그 어데이냐
쓸쓸한 세상 험악한 고해를
너는 무엇을 찾으러 가느냐
눈물로 된 이 세상은
나 죽으면 고만일까
행복 찾는 인생들아
너 찾는 것 허무
웃는 저 꽃과 우는 저 새들은
그 운명이 모두 다 같구나
삶에 열중한 가련한 인생아
너는 칼 우에 춤추는 자로다
눈물로 된 이 세상은

나 죽으면 고만일까

행복 찾는 인생들아

너 찾는 것 허무

"그 우울한 노래 좀 그만 불러!" 방에 누워있던 어머니가 나오더니 차갑게 쏘아붙이며 말했다. 어머니는 자신이 좋아하는 슈베르트의 '그대는 나의 안식 작품 59-3'라는 음악을 틀었다. 어머니가 고른 음악은 소나기가 내리는 날 우산 없이 홀로 밖에 서 있는 기분이었다. 그것이 싫었다. 변해버린 어머니가 싫었던 건지, 어머니가 좋아하는 음악이라 싫었던 건지, 아버지와 듣던 음악이라 싫었는지 모르겠지만 그냥 싫었다.

열아홉 살 여름의 오후는 유난히 길어 어둠이 오지 않을 것 같았다. 태양이 온종일 뜨겁게 불태우더니 서서히 색을 잃어갔다. 태양의 색이 사라져 슬퍼할 때 하늘과 구름이 대신 영롱한 아름다움으로 세상을 감싸 안았다. 나와 준은 넋을 잃고 그 슬픔의 색을 끝까지 지켜봤다. 푸르른 슬픔은 오묘한 보랏빛과 뜨거운 오렌지빛, 강렬한 분홍빛으로 뒤섞이며 세상을 품에 안았다. 그 강렬함은 한 번도 가보지 못한 미지의 공간 같았다. 저기로 걸어 들어가면 어떨까? 저기라면 다정했던 엄마를 다시 만날 수 있을까? 목말을 태워주던 아버지를 만날 수 있을까?

"와……. 저 구름과 한 몸이 되고 싶다. 저 구름을 걷고 싶어. 행복할 거 같아. 그렇지?"

준의 커다랗게 넓어진 어깨에 기대어 물었다.

"응. 그러게. 너무 이쁘다. 모모코 너보다는 안 이쁘지만."

"웃겨. 너는 졸업하면 뭐 할 거야?"

"아버지는 경찰이 되라고 하지만 난 싫어. 어떻게 해야 할지 모르겠어. 아버지에게서 도망치고 싶어. 모모코 너는 뭐 하고 싶어?"

"모르겠어. 무엇을 할 수 있을지." 허공을 바라보며 말했다.

"우리 결혼할래? 결혼해서 도시락 장사 하자."

"준. 나 지금 진지해." 준도 진지하게 말했음을 알고 있었다. 그러나 결혼 따위를 생각할 때가 아니었다. 아버지가 곁에 있었다면 어땠을까? 어머니가 행복했을까? 아버지가 있었다면 열아홉의 내게는 어떤 사람이었을까? 어머니 몰래 사탕을 챙겨 주었듯 우리만의 비밀이 있었을까? 준은 아버지와 그런 비밀스러움이 있을까? 궁금해졌다.

"준 너희 아버지는 어떤 분이야?"

"아버지는 경시청에서 근무하시니 바쁘셔서 만나기 어려워. 그런데 가끔 마주칠 때 날 바라보는 눈빛이 '나한테 숨기는 거 있니?' 이런 눈빛이야. 그거 몹시 불편해." 준은 아버지의 눈빛이 떠올랐는지 손사래를 치며 말했다.

"그래도 넌 좋겠다. 아버지랑 어머니랑 함께 살잖아."

"너도 어머니랑 할머니 있잖아. 그리고 나도 있잖아. 우리 진짜 결혼하자니까."

"시끄러워. 고작 열아홉 살이 무슨 결혼이야? 철 좀 들어." 내게는 어머니도 할머니도 준도 있었다. 그러나 늘 마음이 공허하게 비어 있었다. 심장을 도려내어 땅속 깊은 곳에 묻어놓고 사는 것 같았다.

어머니는 여전히 어둠이 깔리면 돌아왔고 쉬는 날에는 술을 마시거나 종일 창밖을 보며 누워지냈다. 내가 어른이 되기 전에는 다정했던 엄마로 돌아올 줄 알았다. 그러나 변함없었다. 그늘진 얼굴에 멍한 눈빛, 축 처진 어깨는 가벼운 바람에도 부서질 것 같았다. 부서져 먼지처럼 안개처럼 날아가 버릴 것 같았다.

"대체 언제까지 이렇게 살 거야? 다른 엄마들처럼 나가서 사교 모임도 하고 책이라도 읽어! 매일 술이나 마시고 그 창백한 얼굴은 대체 뭐야. 도대체 밖에 나가서 뭐 하고 돌아다니는 거야? 식당에서 일하는 건 맞아? 내가 몇 살인지는 알아? 내가 학교에서 몇 등 하는지는 알아? 엄마는 내 성적에 관심도 없지? 내가 대학 갈 생각이 있는지 관심도 없지? 아니지. 그냥 나를 없는 사람 취급하는 걸 보니까 낳은 것도 후회하는 거지? 이럴 거면 차라리 나가서 들어오지 마!"

"어디서 엄마한테 그따위 말을 해? 내가 너 낳고 얼마나 힘들었는데! 네 아빠가 떠난 것도 다 너 때문이야."

어머니는 맥주 안주로 먹던 과자 봉지를 집어 던졌다. 과자 부스러기가 바닥에 흩어졌고 나는 어머니를 향해 소리를 내질렀다. 어머니는 나의 날카로운 목소리에 반응하지 않고 그대로 방으로 들어갔다. 방에서 전해지는 어머니의 울음소리가 듣기 싫어 나도 큰 소리를 내며 울었다. 누가 더 크게 우는지 대결이라도 하듯 우리는 의미 없는 아우성을 질렀다. 어머니와의 갈등은 의미 없는 울음으로 마무리되었고 매일 반복되었다. 우리의 불안하게 삐걱거리는 동거는 오래 지속될 줄 알았다. 그러나 우리의 싸움도 머지않아 병원의 시체 안치실에 누워있는 어머니를 만나는 것으로 끝났다.

　어머니는 어느 날 갑자기 곱게 화장하고 외출 후 돌아오지 않았다. 가출인지, 실종인지, 죽었는지 알 수 없어, 애타는 마음으로 보름을 기다렸다. 밤새 어머니가 돌아왔을까 싶어 방문을 열어보느라 할머니의 얼굴은 어둡게 그늘이 지기 시작했다. 할머니는 경찰이 어머니를 찾을 거라 말하며 나를 안심시키려고 했다. 그러나 나를 안심시키려는 것보단 당신의 마음이 불안해서 했던 말일 것이다. 하지만 그때는 몰랐다. 할머니의 마음이 얼마나 아팠을지 정확히 알지 못했다. 우리는 더 이상 웃지도 먹지도 못했다. 나이가 많았던 할머니의 건강이 예전과 같지 않다는 것을 알았고 마음에 돌덩어리를 안고 지냈다.

　내 잔소리와 핀잔이 듣기 싫어 내게 돌아오지 않을 심상으로 나간 것일까? 아버지가 떠났듯이 어머니 또한 갑자기 떠났다는 것에 두 사람에 대한 미움은 어둠의 씨앗을 먹고 자랐다. 그럼에도 내 시선은 늘 전화기를 향해 있었다. 내가 할 수 있는 것이라곤 경찰의 연락을 기다리는 것뿐이었다.

　사실 나는 알면서도 모른척하고 있었을 것이다. 어머니의 발길이 아버지에게로 향할까 두려웠을지도 모른다. 어머니마저 떠날지도 모른다는 불안한 어둠의 씨앗이 자라고 있었다. 그렇기에 알면서도 모르는 척했을지도 모른다. 나는 분명 알고 있었다. 어머니가 아버지를 그리워하고 있다는 것을. 잠꼬대로 아버지의 이름을 부르는 것을 여러 번 들었다. 혼자 멍하니 앉아 아버지의 사진을 보면서 눈물 흘리는 것을. 술에 취해서는 아버지의 이름을 부르는 것을. 알았지만 미웠다. 미웠기에 알아도 모르는 척했다.

어머니를 떠난 아버지도. 아버지를 그리워하는 어머니도. 두 사람을 미워하는 나도 미웠다. 그럼에도 두 사람을 몹시도 그리워하는 내가 더 미웠는지도 모른다. 다정하고 깔끔하고 고왔던 어머니가 변하는 것이 두려웠는지도 모른다. 아버지가 지진을 품은 검붉은 마그마로 변했듯 어머니는 죽어가는 사람의 혼처럼 검게 변하고 있었다. 어두운 그림자를 품고 있는 모습이었다. 그 어두운 그림자가 어머니를 집어삼킨 지 오래되었다는 것도 알았다. 그림자가 삼켜낸 어머니는 오래전 내 것이었다. 온전히 내 자리였는데 내가 들어갈 자리가 사라졌다. 어머니의 어떤 한 부분에도 나의 자리는 없었다. 희고 고와 이쁘던 열 손가락 중 새끼손가락 한마디조차 내 것은 없었다. 그러나 나는 그때도 몰랐고 지금도 몰랐다. 어머니가 원하는 것이 정확히 무엇인지 몰랐다. 내가 아닌 아버지를 원한 건지, 아버지에 대한 사랑이었는지. 아버지에 대한 집착이었는지, 아버지에 대한 분노였는지, 세상에 대한 분노였는지.

어머니는 어쩌면 자기 자신에 대한 분노를 안고 살았을지도 모른다. 존재 자체에 대한 무지함에서 시작된 불안감이 어두운 그림자가 되어 죽음에 이르게 했을지도 모르겠다. 한동안 나를 책망했다. 알았다고 어머니에게 말했더라면. 나도 아버지가 그립다고 말했다면 달라졌을지도 모른다. 우리의 현재가, 우리의 미래가 달라졌을지도 모른다.

혹시 어머니가 아버지를 찾아간 것이 아닐까? 아버지를 찾아야 했다. 아버지를 찾아가 어머니가 당신을 여전히 그리워한다고, 그러니 함께 어머니를 찾자고 말해야 했다. 아버지를 어떻게 찾아야 할까? 아버지에 대해 아는 것이 없다는 사실을 그때서야 깨달았다. 아는 것이라고는 아버지의 이름과 태어난 날, 아버지의 고향 정도였다. 우리에게 도망쳐 버린 아버지를 이 넓은 세상에서 찾아낼 수 있을까? 일본을 벗어났을지도 모른다. 다른 나라에 있다면 영영 찾을 수 없을지도 모른다. 왜 미리 찾아갈 생각을 못 했을까? 왜 찾아서 물어볼 생각을 못 했을까?

내 고민에 고맙게도 쥰이 도와준다고 했다. 그의 아버지에게 부탁할 수는 없었지만, 쥰이 아는 A 경찰을 찾아갔다. 그는 범행과 관련 있는 사람이 아닌 이상 개인 정보를 검색하는 것은 불법이라 안 된다고 했다. 검색한 것이 알려지면 자신이 경질을 당할 수 있어서 절대 도울 수 없다고 단호하게 거절했다. 그러나 우리는 포기하지 않았다. 나는 그를 며칠을 따라다니며 울면서 조르고 졸라 설득했다. 며칠이 지나고 그에게서 아버지의 집 주소를 받을 수 있었다. 막상 주소를 받고 찾아가려니 가슴 안에 자라는 어둠의 씨앗이 강한 진동을 보냈다. 아버지의 마지막 모습, 검붉은 마그마 괴물로 변한 그 모습이 강렬하게 떠올랐다. 두렵지만 만나야 했다.

아버지는 내가 살고 있는 도쿄도에서 2시간 거리 지바현에 살고 있었다. 열차를 여러 번 갈아타야 하는 수고로움이 있었지만, 쥰이 그 여정을 함께해 주었다. 아버지에게 물어볼 것들을 생각하느라 마음이 여간 복잡한 게 아니었다. 어떻게 물어야 할까? 내가 보고 싶었는지. 어머니와 나를 왜 떠났는지. 이유가 무엇인지. 왜 다시 찾지 않았는지. 어머니를 떠나야 해서 나를 떠났을까? 나를 떠나기 위해서 어머니를 떠난 것인가? 나와 어머니에게 한없이 다정했던 사람이 왜 갑자기 변했을까? 묻고 싶었다. 아버지의 입으로 모든 답을 듣고 싶었다.

친구들의 말이 떠올랐다. 어른들이 이혼하는 이유에는 여러 가지가 있다고 했다. 외도였을까? 외도라면 둘 중에 누구였을까? 아니면 돈 문제였을까? 돈 문제는 좀 더 복잡해서 나는 알 수 없었다. 어떤 문제가 있었던 걸까? 언제부터 싸웠을까? 왜 싸웠을까? 아버지는 어떻게 살고 있을까? 재혼했을까? 혹시 나와 닮은 여자아이가 있을까? 생각할수록 머리가 아프고 눈동자에 뿌연 것이 맺혀 앞이 보이지 않았다. 준 몰래 손등으로 눈물을 닦아냈다.

열차 밖으로 보이는 풍경은 평화로워 보였다. 열차 안에서 나란히 앉아 장난치는 연인의 모습이 얄미웠다. 아마도 어머니와 아버지의 모습이 떠올랐던 것 같다. 아버지가 떠났을 때 열 살이던 내 나이와 비슷한 여자아이가 나를 바라보고 있었다. 나도 그때는 저런 꽃문양 원피스를 입고 분홍색 구두를 신고 무엇이든 보고 까르르 즐거워했었다. 옆에서 꾸벅꾸벅 졸던 준의 입술 사이로 침이 쭉 내려와 떨어졌다. 준의 바지에 떨어진 그것은 짙은 색으로 번졌다. 그날 어머니의 눈물이 떠올랐다. 이어서 괴물로 변했던 아버지까지 떠올랐다.

열차를 할머니와 어머니 없이 오랜 시간 타 본 것이 처음이었다. 그래서였을까? 이제 제법 어른이 된 것 같은 기분이 들었다. 아마도 그런 마음으로 아버지를 만나야 할 거 같았다. 여전히 검붉은 마그마일지도 모를 아버지를. 그 거대한 두려움에 맞설 힘이 나에게 있을까? 나의 어둠의 씨앗에게 용기를 달라고 말했다.

아버지가 사는 곳은 내가 사는 지역보다 더 외진 마을로, 주택들이 띄엄띄엄 하나씩 멀리 있었다. 아버지의 주택은 회색 벽에 1층으로 아담했는데, 검은색 대문이 위압감을 줬다. 이 문을 열고 들어갈 수 있을까? 반가워해 줄까? 혹시 어머니와 함께 있을까? 아니면 친구들의 이야기처럼 어린아이들이 뛰쳐나올까? 생각할수록 심장이 미친 듯이 빨리 뛰어 심호흡을 여러 번 했다. 준이 내 어깨를 토닥이며 밖에서 기다려 주겠다고 말했다. 천천히 다가가 검은색 대문 옆의 붉은색 작은 벨을 눌렀다. 익숙한 듯 익숙하지 않은 목소리가 들렸다. 내 이름을 말했고 아버지가 검은색 대문을 열고 나왔다.

"모모코? 여긴 어떻게 왔니? 많이 컸구나……. 몰라보겠구나. 혼자 온 거니?" 아버지는 내 주변을 둘러보았다. 어머니를 찾는 것일까?

"네. 저 들어가도 돼요?"

"어. 그래. 들어오거라. 어떻게 지냈니? 네가 올 거라고 생각 못 해서……." 아버지의 목소리가 떨렸다. 초조해 보였다. 내가 불편한 것일까?

"묻고 싶은 게 많았어요."

"......."

세상이 잠시 시간을 멈춘 것 같이 고요했다. 아버지가 일어나 주방의 작은 냉장고에서 내가 좋아하던 과일 주스를 컵에 따라와 내게 내밀었다.

"나 이제 이런 거 안 마셔요. 커피 주세요." 나는 최대한 차갑고 단호하게 말했다.

"벌써 커피를 마시니?" 아버지는 놀란 눈으로 날 바라보며 물었다.

"왜 한 번도 찾아오지 않았어요? 나랑 엄마가 보고 싶지 않았어요? 걱정되지도 않았어요? 왜 우리를 떠난 거예요? 왜 다시 오지 않았어요? 왜요?" 떨렸지만 날카로운 목소리로 물었다.

"어디서부터 말해야 할지 모르겠구나……." 아버지는 고개를 숙이고 한참을 고민하는 듯 보였다. 아버지를 쳐다보며 대답을 기다렸다. 그 시간이 아버지 없이 지냈던 시간보다 더 길게 느껴졌다. 시간이 멈춘 거 같았다. 정적을 깨는 것은 가끔 밖에서 들리는 개 짖는 소리, 자동차가 지나가는 소리뿐이었다. 아버지가 고개를 들어 나를 잠깐 바라보고는 창문을 바라봤다. 그러고는 테이블을 바라보며 말하기 시작했다. 나를 보지 않았다.

"네 엄마는 아름다운 여자였다. 내가 찾던 이상형이었지. 우연히 들어간 그 식당에서 꿈에 그리던 여자를 만나게 될 줄은 몰랐다. 식당 의자에 앉아 왼쪽 머리카락을 살며시 잡고 젓가락질하는 모습을 보고 이 여자가 내 아내였으면 좋겠다고 생각했어. 하지만 난 쑥스러워서 말하기 힘들었단다. 하지만 이 식당에서 나가버리면 다시는 그녀를 만날 수 없다는 두려움이 생겼단다. 무슨 용기라도 내야 하는데 몸이 떨리기 시작했어. 팔이 떨려서 네 엄마가 먹던 그릇을 실수로 건드렸단다. 음식이 바닥으로 떨어졌고 난 놀라서 그녀의 얼굴을 보았는데, 괜찮다고 말하면서 미소를 짓더라. 그 미소를 보고 곧바로 만나자고 말했단다. 내게 그런 용기가 있었다는 것에 놀랐단다. 지금이라면 그러지 못할 테니까. 그런데 네 엄마가 말하더구나. 사별한 남편 사이에 태어난 아이가 있다고. 모모코 네가 있다고 말이야."

헤매는 내 눈동자를 어디에 둬야 할지 몰랐다. 혼란스러웠다. 방금 무슨 소리를 들은 걸까? 내 이야기를 하는 것이 맞는 건가? 무슨 일이 벌어지고 있는 것일까? 혹시 꿈을 꾸는 것일까? 무슨 말인지 이해가 안 됐다. 어둠의 씨앗이 있는 깊은 늪을 향해 천천히 걸어 들어가는 것 같았다.

"몰랐구나? 당연히 알고 있는 줄 알았다. 내가 괜한 말을 했구나."

"몰랐어요. 전혀요. 아무도 말해주지 않았어요."

"……. 미안하구나."

"아버지가 내 아버지가 아니라고요?"

"그래. 미안하구나. 난 네 아버지가 아니야. 네 생부는 죽었다고 했어."

"……." 이건 내가 원했던 질문도 답도 아니었다. "내가 몇 살 때 결혼하신 거예요?"

"그때가……. 네가 세 살이었을 거야."

"아……." 심장이 터질 거 같아서 가슴에 손바닥을 강하게 밀착시켰다.

"난 너를 내 자식처럼 키울 자신이 있었어. 그만큼 네 엄마를 사랑했고 믿었어. 네 엄마는 내 예상대로 아내로서 최고였어. 나를 존경했어. 너도 잘 알겠지만, 네 어머니의 음식솜씨가 제법이지 않니? 집안 살림도 정말 잘했어. 우리 집안에서도 지인들도 모두가 나를 부러워했단다. 그런데 네 엄마가 한국인이고 입양아라는 사실을 알게 되었다. 거기에 네 할머니도 한국인이었어. 그런데 난 전혀 몰랐어. 아니 생각할 수도 없었어. 어떻게 그렇게 중요한 사실을 숨길 수가 있었을까? 난 용서할 수 없었다. 참을 수 없었어. 난 정말 수치스러웠다. 내 할아버지는 조선에 계셨어. 조선총독부에서 일하셨지. 내가 조선인과 결혼한 건 우리 집안에 큰 죄를 짓는 일이었어. 나는 너와 엄마를 떠나야 했어. 나도 어쩔 수 없었단다."

아버지의 눈빛을 읽을 수가 있었다. 내게 그런 능력이 있었던가? 아버지는 슬퍼했고 동시에 분노했다. 이미 아버지에게 나와 어머니를 사랑했던 사실은 과거였다. 아버지에게 인사도 하지 못하고 곧바로 밖으로 뛰쳐나왔다. 아버지 앞에서 흐르는 눈물을 보이고 싶지 않았다.

그는 더 이상 내 아버지가 아니었다. 아니 처음부터 내 아버지가 아니었다. 나의 아버지는 누구일까? 나는 대체 누구일까? 어디서부터 잘못된 걸까? 내게 아무 말도 하지 않은 어머니와 할머니. 두 사람은 대체 어떤 사람일까? 가장 믿었던 사람. 나를 가장 아껴주고 있다고 믿을 수밖에 없던 사람이었다. 나는 이 세상에 굴러다니는 쓰레기보다 못한 하찮은 존재였다. 먼지보다도 더 하찮은 존재. 술에 취한 사람이 바닥에 구토해 놓은 더러운 흔적보다도 하찮은 것이었다.

"모모코. 아버지 만났어? 어머니 만났데? 응?"

"……."

"왜 그래? 무슨 일 있었어?"

"아무 말도 하고 싶지 않아."

그에게 아빠라고 부르며 졸졸 따라다니던 기억이 떠올랐다. 몸 안쪽의 깊은 곳, 어디쯤에서 역겨움이 느껴졌다. 그 자리에 서서 점심때 먹었던 우동을 토해냈다. 두 번 다시는 몬자야키도, 마제 소바도 먹지 못할 거 같았다. 내 안에 가득 담겨 있던 그리움과 질문이 잔혹한 분노와 충동하는 것을 느꼈다. 내 세상은 부서졌고 무질서하게 분출하고 싶었다.

집으로 돌아와 할머니의 그늘 진 얼굴을 마주했고 아무 말도 하지 않았다. 묻고 싶지도 않았다. 나는 과연 누구일까? 어머니도 이런 마음이었을까? 이런 마음이라 그렇게 슬픈 어두운 그림자를 품고 살았던 것일까? 하지만 어머니는 내게 그러면 안 되는 것이었다. 나는 적어도 어머니가 낳은 딸이 아닌가? 내게는 말했어야 했다. 적어도 내게는.

태양은 여전히 뜨거웠지만, 내게는 몹시도 시렸던 8월이었다. 어머니는 결국 아버지를 찾아갔다. 경찰이 말했다. 어머니는 마트에서 요리 재료를 사 들고 아버지의 집에 갔다고 했다. 집안 물건들이 전부 흐트러져 있는 것을 보고 두 사람이 크게 다툰 것 같다고 했다. 정황으로 볼 때 어머니가 아버지를 살해하고 욕조에서 자살한 것으로 추정된다고 말했다. 어머니가 정말 아버지를 죽였을까? 왜 아버지를 죽이고 자신까지 죽였는지 물을 수 없었다. 어머니와 아버지의 삶은 허무하고 슬프게 끝났다. 아무도 묻지 않은 채로.

왜 그를 찾아갔을까? 묻고 싶지만, 영원히 답을 들을 수 없었다. 검붉은 마그마가 가지고 있는 그 잔혹함이 무엇이 좋다고 다시 찾아갔을까? 찾아가서 직접 그의 피를 보고 자기 피까지 확인했을까? 어째서 그랬을까? 며칠 내내 생각하고 또 생각했다. 어머니도 나와 같은 수치심을 느꼈을까? 굴욕감이었을까? 존재를 거부당하는 모욕적이고 파괴적인 언어들을 들었던 것일까? 그러나 엄마는 오로지 '내 것'이어야 했다. 그날 엄마 대신 어머니의 슬픔이 나를 삼켰다.

-끝-

퍼펙트 한의원

라빔

라빔　내 별명은 다 가진 여자였다. 집이 부유한건 아니었지만 FM같은 평범한 일상을 살고 있었다. 대학입시도 공무원 시험도 결혼도 출산도 어느하나 막힘없이 술술 풀렸다. 아주 적절한 때에 인생과업을 수행해 나가고 있었다. 그러던 어느날 일련의 사고와 사건들로 나의 일상은 완전히 무너졌다. 삶을 포기하고 싶은 순간도 있었지만 다시 일어섰다. 오늘도 피를 뽑는다. 그 순간에도 나는 꿈을 꾼다.

인스타그램: @la_vem,
인스타그램: @la_veam_calli
블로그: blog.naver.com/la_veam_calli

1. 치료의 시작

지난 겨울 나는 동료들과 여행을 떠났다. 바다가 보이는 분위기 좋은 카페를 찾아 1차선 도로를 달리고 있었다. 앞에 가던 차가 갑자기 멈춰 섰다. 놀란 나는 비상깜빡이를 켜고 급브레이크를 밟았다. 다행히 앞차를 박진 않았다. 안심하던 순간 '쾅' 천둥이 치는 소리가 났다. 뒤에 오던 차가 내 차를 그대로 들이박은 것이다. 보험회사를 불러 일단 사고를 수습했다. 아픔을 느낄 새도 없었다. 사고를 수습하고 집으로 돌아오는 길, 머리가 어지럽고 속이 울렁거리기 시작하더니 점점 허리와 무릎과 발목 관절도 아프기 시작했다.

다음 날 나는 교통사고 후유증 치료를 위해 오픈한 지 얼마 되지 않은 작은 한의원을 찾았다. 한의원 원장님을 만나 내가 사고가 난 경위와 아픈 곳을 차분히 앉아 설명했다. 내 이야기를 끝까지 들은 원장님은 내 몸 상태를 간단히 확인하고 앞으로의 치료 과정과 기간을 설명해주셨다. 원장님이 나에게 해주시는 말들이 "나만 믿고 따라오세요. 내가 아프지 않게 해줄게요"라고 이야기하는 것처럼 들렸다. 왠지 원장님의 말을 믿고 따라가면 아픈 몸이 금방 나을 것만 같았다. 퍼펙트 한의원과의 인연은 그렇게 시작되었다. 나는 그 이후 매일 한의원을 갔다. 매일 침 치료, 약침 주사, 추나 치료를 받으며 아침에 한의원을 들렀다가 출근하는 게 나의 일상이 되었다.

어느덧 3주가 지나고 보험 때문에 이제 일주일에 3번만 올 수 있다고 원장님이 말씀해주셨다. 아직 너무 아픈데 3일만 오라니 뭔가 마음이 불안했다. 치료횟수가 줄어들고 직장에서는 업무가 많아지면서 몸에 무리가 가기 시작했다. 새벽마다 참을 수 없는 손님이 찾아왔다. 진통제를 먹어도 아무 소용이 없었다. 뒷목과 어깨는 뻣뻣하게 굳고 허리는 앉아 있어도 누워있어도 서 있어도 아팠다. 누가 내 몸을 칼로 난도질하고 있는 것 같은 날카로운 통증이었다. 내가 할 수 있는 일이라고는 해가 뜰 때까지, 통증이 사그라들 때까지 기다리는 일밖에 없었다. 차라리 아기를 낳을 때 진통이 나았다. 진통은 쉬는 시간이라도 있지 새벽에 찾아오는 통증은 쉬는 시간이 없었다. 해가 뜨면 나는 새벽 내 통증에 시달리다 기진맥진한 상태로 출근을 해야 했다.

그렇게 한 달이 지나고 매일 새벽 통증에 시달린 탓인지 나에게는 새로운 시련이 찾아왔다. 갑상샘 항진증 초기 진단을 받았다. 병원에서 호르몬 수치가 아직 약 먹을 정도는 아니지만, 체중이 급격하게 주는 등 증상이 나타나면 바로 병원으로 와야 한다고 이야기했다. 결과가 아주 나쁜 건 아니었지만 그냥 넘기기에는 조금 무서웠다. 나는 한의원을 찾아가 교통사고 후유증 치료와 함께 갑상샘 치료를 받고 싶다고 이야기했다. 교통사고 합의를 하고 갑상샘 항진증 개선을 위한 한약과 침 치료를 병행하였다. 다시 내 삶은 안정을 찾아가는 듯했다. 하지만 또다시 시련을 겪어야 했다. 또 한 달이 지난 시점에 코로나에 걸리고 말았다. 그동안 받고 있던 모든 치료를 중단해야 했다. 갑상샘 치료와 교통사고 후유증 치료가 모두 중단되었다.

격리 기간이 끝나갈 때쯤 교통사고 후유증과는 비교할 수 없을 만큼의 극심한 고통이 찾아왔다. 너무 어지럽고 속이 울렁거려서 밥을 먹을 수가 없었다. 하루에 500g씩 무서운 속도로 살이 빠지기 시작했다. 어깨는 견딜 수 없을 만큼의 통증과 함께 더 딱딱하게 굳어버렸고, 허리통증도 심해졌으며, 무릎에는 물이 차고 부어서 제대로 걸을 수가 없었다. 사람 몸이 어떻게 이렇게 동시다발적으로 아플 수 있는지 고통 속에서 헤매고 있었다. 격리 기간이 끝나고 다시 치료를 받기 시작했지만 망가질 대로 망가진 내 몸은 나아질 기미가 보이지 않았다. 온종일 어떤 자세로 있어도 몸이 편하지가 않았다. 잠을 자기 위해 똑바로 누우면 골반이 잘 펴지지 않았고, 뒷목과 어깨가 너무 아팠다. 옆으로 돌아누워도 허리랑 무릎, 어깨, 목 등이 불편하다고 아우성을 쳤다. 그렇게 매일 밤 나는 잠을 자기 위해 몸부림을 쳤다.

침대 생활을 포기하고 소파와 한 몸이 되어 편안한 자세를 찾아 매일 뒤척였다. 나는 매일 밤 나와 격렬하게 싸우고 있었다. 새벽마다 소파를 붙들고 앉아 어지럽고 울렁거림이 가라앉을 때까지 그리고 전신 통증이 가라앉을 때까지 통증과 피 터지게 싸웠다. 항상 나는 패자였다. 그렇게 시달리고 나면 나는 기력이 남아있지를 않았다. 점점 마음도 피폐해져 갔다. 패전 후 영혼이 거의 다 빠져나간 듯한 상태로 소파에 누워 TV를 보고 있으면 나만 빼고 이 세상 모든 사람이 다 행복해 보였다. TV 속에 나오는 사람들의 높은 텐션이 부러웠다. 아무리 에너지를 끌어올리려고 노력해도 끌어올려지지 않았다.

토요일이면 내가 좋아하는 예능프로그램들이 한가득이라 줄줄이 프로그램 순서를 꿰고 있을 정도로 TV 보기를 좋아하던 나였다. 하지만 더 이상 나에게 예능프로그램은 웃음을 주는 존재가 아니었다. 오히려 날 더 비참하게 만들고 더 우울하게 만들었다. 그 이후로 나는 TV를 보지 않았다. 그렇게 나의 시간은 멈춰버렸다. 통증이 너무 심한 날에는 '이렇게 살아서 뭐하지?' 그냥 고통을 끝내고만 싶었다. 아픔을 잊기 위해 나는 더 일에 매달렸다. 닥치는 대로 했다. 나에게 오는 일을 마다하지 않았다. 일하는 동안만큼은 내가 평범한 인간으로 살아있음을 느낄 수 있는 시간이었다. 아픔을 잊기 위해 일에 더 매달려서인지 업무적 성과도 좋았다. 하지만 집에 돌아오면 다시 나와의 싸움이 시작되었다. 그래도 언젠간 나아질 것이라는 희망을 버리지 않았다. 이보다 더한 고통은 없을 줄 알았다.

그러나 또 한 번의 시련을 겪어야 했다. 회의실 책상을 옮기다가 그만 척추가 돌아가 버린 것이다. 무슨 힘이었는지 책상을 번쩍 들어 옆으로 옮겨 놓았다. 그 이후로 나는 제대로 걸어 다닐 수가 없었다. 병원에 가서 X-ray를 찍었더니 책상을 옮길 때 동작 그대로 척추가

틀어져 있었다. 5, 6번 척추는 찌그러져 있었고, 전체적으로 기울어진 것뿐만 아니라 윗부분은 오른쪽, 아랫부분은 왼쪽으로, 골반은 오른쪽으로 돌아가 있었다. 그동안 겪었던 통증이 10이라 생각했는데 그보다 더한 통증의 세계가 있었다. 그전까지 내가 느꼈던 고통은 칼로 온몸을 난도질하는 것 같은 날카로운 통증이었다면, 이 사건 이후에 겪게 된 통증은 칼에 베인 상처에 불을 지른 듯한 온몸이 타들어 가는 고통이었다. 내 몸은 똑바로 서 있을 수도 제대로 걸을 수도 앉아 있을 수도 누워있을 수도 없는 상태가 되어 버렸다.

나는 더 이상 추나 치료를 받을 수 없었다. 퍼펙트 한의원 추나실은 나에게 상담실 같은 곳이었다. 신기했다. 추나실에만 들어가면 아주 사소한 것까지 나의 이야기를 털어놓게 되었다. 추나실이라 쓰여 있지만 나는 그곳을 상담실이라고 불렀다. 몸과 마음 치료를 동시에 받을 수 있는 곳, 나에게는 그런 곳이었다. 그곳에서 나는 몸과 함께 마음을 치료받고 있었다. 그런데 추나 치료를 받을 수 없다니 추나실 앞을 지나갈 때마다 마음이 무거워졌다. 마음을 해소할 곳이 없어졌다. 그렇게 나는 몸과 함께 마음도 병들어갔다.

내가 아파서 누워있고, 병원과 한의원을 다니는 동안 신랑은 오롯이 혼자서 두 아이를 돌봐야 했다. 치료 기간이 길어지고 혼자 육아를 하는 시간이 길어지면서 신랑도 점점 지쳐갔다. 투병 생활이 4개월 정도 지난 시점부터는 내가 누워있으면 짜증 섞인 한숨을 쉬고 방 밖으로 나갔다. 허리를 다시 다쳐 아무것도 못하고 누워있는 나를 발로 툭툭 건드리며 "야, 일어나 밥 안 하냐?"라고 하고 나간 적도 있다. 신랑은 내가 집안일을 하기 싫어 엄살을 부린다고 생각했다고 한다. 신랑 조차 나의 아픔을 이해하지 못했다. 내가 아파하는 모습을 보이면 친 정엄마는 더 아파하시기 때문에 친정엄마 앞에서는 아픈 티를 낼 수 도 없었다. 나는 그렇게 점점 혼자가 되어갔다. 혼자 운전을 해서 병원 을 왔다 갔다가 하는 시간이 유일하게 나의 아픔을 있는 그대로 드러 낼 수 있는 시간이었다. 운전대를 잡고 노래를 틀고 병원으로 출발을 하면 내 눈에서는 하염없이 눈물이 흘렀다. 너무 아팠다. 나 너무 아프 다고 너무 힘들다고 세상에 이야기하고 싶었지만, 어느 누구도 나의 아픔을 귀담아 들어주지 않았다.

집에서는 나의 부재에 육아를 책임져야 하는 신랑이 힘들어했고, 직장에서는 중요한 직책을 맡고 있었기 때문에 아픈 것이 오히려 민 폐가 되었다. 조퇴를 달고 병원에 다니는 날이 많아지면서 눈치가 보 이기 시작했다. 집에서도 직장에서도 내가 아프다고 하면 돌아오는 말은 "너만큼은 다 아파." "네가 나보다 힘들어?" "너만 힘들어? 나도 힘들어."였다. 내 편은 아무도 없었다. 그렇게 나는 점점 아픔을 속으 로 삼킨 채 고립되어 갔다. 직장에서도 입을 닫았다. 빨리 일을 끝내고 한의원을 가는 게 나의 하루의 목표가 되었다. 그렇게 동료들과도 멀 어져 갔다. 동료들과 웃고 떠드는 속에 있었지만 나는 함께 웃을 수 없 었다. 웃을 수 있는 동료들이 부러웠다. 같은 공간에 있지만 나만 외로 운 외딴섬에 혼자 있는 기분이었다. 치료를 계속 이어 나갔음에도 불 구하고 몸은 나아질 기미가 보이지 않았다. 나는 아프던 사람이 아니 었기 때문에 내가 열심히 치료를 받으면 몸이 나아질 줄 알았다. 그래서 눈치가 보여도 조퇴를 달고 치료를 더 열심히 받았다. 하지만 점점 몸 상태는 더 나빠졌고, 결국 한의원 원장님 설득으로 큰 병원에 가서 검사를 받아보기로 하였다.

일단 양평에서 가장 가까운 서울 강동구에 있는 류마티스 전문 내과를 찾아갔다. 아직 큰 병원은 가고 싶지 않았다. 1차 병원에서 검사를 받고 필요하면 대학병원으로 전원하고 싶었다. 류마티스 내과에 가서 검사를 받았다. 다행히 류마티스는 아니었다. 그러나 내가 아프다고 했던 곳마다 염증이 있었다. 결국 난 서울로도 병원을 일주일에 한 번씩 가게 되었다. 일주일에 한 번씩 서울로 병원에 다니는 게 쉬운 일은 아니었지만, 그래도 열심히 갔다. 운이 좋았던 건지 서울병원 교수님도 한의원 원장님처럼 나의 아픔을 귀담아 들어주시는 분이었고, 내 병을 고쳐보겠다는 치료 의지가 굉장히 강하셨다. 도수치료사님 또한 한의원 원장님같이 몸과 함께 마음도 보살펴 주시는 따뜻한 분이라는 점이 감사해서 힘들어도 병원을 열심히 다녔다.

도수치료사님은 첫날 치료실을 걸어 들어오는 데 내가 비에 흠뻑 젖은 새처럼 보였다고 한다. 몸 치료만큼이나 마음 치료도 중요하다며 치료실을 갈 때마다 나를 응원해 주셨다. "지금 너무 잘하고 있어요. 일단 치료실에 왔잖아요. 그것만으로도 잘하고 있는 거에요. 시간이 오래 걸릴 거에요. 그러니 지치시면 안돼요." 손을 꼭 잡아주셨다. 평일에는 한의원, 주말에는 서울 류마티스 내과, 나의 시간은 병원치료로 채워져 갔다. 사실 너무 힘들었다. 휴식 시간이 없었다. 운전이

서툴러 서울까지 차를 가지고 왔다 갔다 하는 것도 스트레스였다. 하지만 치료를 그만둘 수는 없었다. 그렇게 나의 몸과 마음은 서서히 지쳐갔다.

나의 고난은 거기서 끝이 아니었다. 관절염약을 먹기 시작한 이후 몸이 붓기 시작했다. 원인을 알 수 없었다. 정말 죽을 것 같은 괴로움이 찾아오기도 했다. 비염도 심해지고 목소리도 잘 나오지 않아 이비인후과를 찾아갔다. 이비인후과에서 음식 알레르기 같다고 하였다. 10년 전 알레르기 치료를 받았던 것이 머릿속을 스쳐 지나갔다. 10년 전에 나는 특정 음식을 먹고 나면 세상이 핑 돌고 구토를 하면서 정말 죽을 것 같은 공포를 느껴 응급실로 몇 번 실려 간 적이 있었다. 결론은 음식 알레르기였고, 그때 음식 알레르기 반응이 제일 심하게 나왔던 음식이 콩이었다. 관절염약 성분검색을 해보니 콩이 들어가 있었다. 그렇게 나는 음식과의 전쟁이 다시 시작되었다. 직장에서는 오해도 받았다. 나보고 거짓말을 한다고 이야기하는 동료도 있었다. 어떻게 사람이 갑자기 먹던 음식을 못 먹게 되냐고 거짓말하지 말라고 했다. 점점 음식 알레르기 반응이 심해지면서 위경련이 오고 나는 더 이상 버틸 힘이 없어 병가와 휴직을 결정했다.

그렇게 나의 모든 일상은 무너졌다. 맑은 날은 더 우울했다. 거리를 행복하게 걷고 있는 사람들이 부러웠다. 사람들을 보면 '저 사람들도 나처럼 아픈 곳이 있을까? 그래도 나처럼 여러 군데가 아프진 않겠지?' 점점 우울한 생각들로 하루가 가득 차고 있었다. 병원을 가는 날은 더 예쁘게 하고 갔다. 아픈 사람처럼 보이고 싶지가 않았다. 나도 일반 사람들이랑 똑같이 아프지 않은 건강한 사람이었으면 좋겠다는 생각을 했다. 아침에 예쁘게 차려입고 직장으로 출근하는 사람들이 너무 부러웠다. 병원에 가면 일을 하러 오는 사람들, 아픈 사람들, 보호자들, 어린아이들 다양한 사람들이 참 많았다. 그렇게 나는 대기시간에 앉아 사람들을 관찰했다. 외딴섬에 혼자 고립된 채로...

나는 점점 책 속으로 빠져들기 시작했다. 책이 내 마음의 유일한 안식처였다. 책을 읽고 있을 때만큼은 우울한 생각이 들지 않았다. 그래서 닥치는 대로 읽었다. 자기계발서, 에세이, 소설, 책을 읽는 순간만큼은 내가 아직 죽지 않았음을 느낄 수 있었다. 책이 내 친구가 되어주었다.

2. 나를 찾는 여행

휴직한 후, 나는 몸과 마음 치료에 집중하기로 했다. 큰 병원을 찾아가 내가 겪고 있는 통증들의 원인을 제대로 찾기 시작했고, 운동과 치료를 함께 할 수 있는 루틴을 만들었다. 나의 일주일, 나의 하루는 치료 스케줄로 꽉 채워졌다. 나의 삶이 완전히 달라졌다. 월, 목, 토요일은 한의원에서 침 치료를 받고 금요일에는 서울병원을 간다. 월, 목요일에는 재활 필라테스도 시작했다. 쉬면서 치료에만 집중하면 컨디션이 조금 회복될 줄 알았다. 하지만 휴직을 하고 몸이 더 아파졌다. 그동안 내가 몸이 하는 이야기를 잘 들어주지 않았던 것 같아서 미안한 마음이 들었다. "너 이래도 안 쉴 거야?" 하며 계속 몸이 나에게 화를 내는 것 같았다. 몸이 나를 혼내고 있는 기분이었다.

못 먹는 음식도 점점 늘어갔다. 돼지고기를 먹으면 설사를 하고, 소고기를 먹으면 먹고 일어나는 순간 세상이 핑 돌았다. 설사와 함께 금방이라도 어떻게 될 것 같은 공포가 찾아왔다. 나는 또 응급실에 실려 다니기 시작했다. 못 먹는 음식이 점점 늘어나면서 대학병원 알레르기 내과를 가게 되었다. 알레르기 내과에서는 "일반적인 음식 알레르기 반응은 아닌 것 같아요. 지금 못 먹는 음식이 너무 많아요. 소화기능 자체에 문제가 생긴 것 같아요."라며 소화기내과 진료를 권유했다. 소화기내과로 전과가 되고 나서 나는 빠르게 여러 가지 검사를 받게 되었다. 채혈 검사, 복부 CT, 위내시경, 대장내시경, 채변 검사 등 벼락 치듯이 검사를 받았다. 결과는 염증성 장 질환이었다.

염증성 장 질환 중에서도 궤양성 대장염[1]이라는 진단을 받았다. 희귀성 중증 난치질환 환자로 분류가 되었고, 산정특례번호가 나왔다. 산정특례제도는 고액의 비용과 장기간의 치료가 요구되는 특정 질환 진료 시에 환자 본인이 부담하는 금액을 경감시켜주는 제도를 말한다. 산정특례제도의 대상이 되는 중증 질환은 암, 심장, 뇌혈관, 희귀, 중증 난치, 중증 화상, 중증 외상, 중증 치매, 결핵, 잠복 결핵 감염이 있다. 얼떨떨했다. 병원비를 적게 낸다고 좋아해야 하나, 나는 평생 약을 먹어야 한다고 했다. 음식 관리는 더 철저히 해야 했다. 그 사이 몸에서 거부하는 음식은 더 늘어났다.

케이크를 먹고 설사를 했다. 처음에는 이유를 몰랐다. '대두가 들어가지 않은 것까지 다 확인하고 산 케이크인데 왜 설사를 했지?' 궁금증이 해결되지 않은 채 케이크도 내가 먹을 수 있는 음식에서 제외되었다. 얼마 후 계란찜과 우유를 먹고 나서야 케이크를 먹고 설사를 하게 된 이유를 알게 되었다. 계란찜을 먹고 난 후에는 설사와 혈변을 봤고, 우유를 따뜻하게 데워 먹은 후에는 저혈압 쇼크가 왔다. 그 이후로 나는 달걀이 들어간 음식도, 우유가 들어간 음식도 먹지 못하게 되었다. 혹시나 하는 마음에 유당불내증 환자들이 먹는 효소제도 먹어보고 소화가 잘되는 유당제로 우유도 사 먹어보았다. 그것조차 허락되지 않았다. 조금이라도 우유가 섞여 있으면 설사와 함께 저혈압 쇼크가 왔다.

---

1 궤양성 대장염이란 대장의 점막 또는 점막하층에 국한된 염증을 특징으로 하는 원인 불명의 만성 염증성 장 질환이다. 출처:서울대학교병원 의학정보

내가 먹을 수 없게 된 음식은 콩, 고기류, 달걀, 우유 여기서 끝이 아니었다. 아몬드가 들어간 음식을 먹었더니 호흡곤란이 왔다. 견과류도 먹을 수 없게 되었다. 참기름과 참깨가 들어간 전복죽을 먹었더니 저혈압 쇼크가 왔다. 참깨도 설사를 유발하는 음식 중 하나라고 한다. 복통과 설사를 가라앉히기 위해 나는 호박죽을 사다 먹었다. 정말 미친 듯이 설사를 했다. 호박죽에 팥이 들어있었는데 팥도 콩 종류라서 설사를 유발하는 음식 중 하나라고 한다. 그렇게 콩류, 돼지고기, 소고기, 닭고기, 오리고기, 달걀, 우유, 견과류, 참기름, 참깨 등 먹을 수 없는 음식들이 점점 늘어만 갔다. 조리법을 바꿔서 먹어보면 좀 나을까 싶어 돼지고기를 구워도 먹어보고 삶아도 먹어봤지만 설사하는 건 똑같았다. 소고기와 오리고기를 먹고는 아나필락시스[2]가 심하게 와서 응급실에 실려 갔다. 점점 음식을 먹고 싶지가 않아졌다. 음식을 먹는 게 무서웠다. 음식을 먹지 않고 살 수 있다면 그럴 수만 있다면 좋겠다고 생각했다.

음식 알레르기 반응 외에도 해결해야 할 큰 숙제가 또 있었다. 점점 심해지는 경련 증상과 어지럼증이었다. 처음에는 손이 떨렸다. 그다음에는 눈꺼풀이 온종일 지진 난 것처럼 떨리기 시작하더니 점점 경련이 일어나는 부위가 늘어났다. 허벅지, 어깨, 팔, 가슴근육, 심지어 머릿속에서도 경련이 났다. 머릿속에 경련이 있는 날은 엄청난 두

---

2   아나필락시스란 특정물질에 대해 몸에서 과민반응을 일으키는 것을 의미한다.

통과 함께 어지럼증과 극심한 울렁거림을 감당해야 했다. 기분 전환을 위해 가족여행을 갔다. 가족여행에서 나는 내 현실을 직시하게 되었다. 조금만 걸어도 숨이 차고 어지러워 걸을 수가 없었다. 식당에 가면 내가 먹을 수 있는 음식은 김치밖에 없었다. 심지어 김치마저 참깨가 뿌려져 나오면 밥만 먹어야 했다. 나의 참담한 현실에 눈물을 꾹꾹 눌러 참아야 했다. 아이들 앞이라 울 수도 없었다.

그날 밤 몸통이 심하게 떨리는 격렬한 경련을 경험해야 했다. 참았던 눈물이 왈칵 쏟아졌다. 기분 전환을 위해 갔던 여행에서 나는 더 슬픈 현실을 마주하게 되었다. 점점 일상생활이 불가능해졌다. 내가 할 수 있는 것이라고는 한의원 치료와 필라테스 운동, 서울로 병원에 다니는 것뿐이었다. 치료를 가지 않는 날은 가만히 누워 수없이 우울증 증상을 검색해보고 간이검사를 해봤다. 심리 상담소를 찾아가 볼까? 몇 번을 예약했다 취소했다를 반복했다. 너무 답답한 날은 차를 끌고 체육공원으로 가서 차 안에서 실컷 울다가 왔다. 마음 치료를 위한 어떠한 노력이 필요하다고 느꼈다.

나는 지인의 소개로 명상을 하는 마음 수련 센터를 찾아갔다. 상담은 40분이라는 시간이 정해져 있고, 또 누군가와 관계를 맺어야 한다는 점이 불편했는데, 명상은 제한이 적었다. 40분이라는 정해진 시간 안에 누군가에게 내 이야기를 하지 않아도 되고, 내가 원하는 만큼 나 혼자 나를 돌아보고 정리할 수 있어서 좋았다. 물론 도우미 선생님이 계시긴 했지만, 명상을 안내하시고 나면 내가 조용히 명상하는 동안에는 자리를 피해주셨다. 많으면 일주일에 두 번, 적으면 한 번 정도 마음수련 센터를 찾아갔다.

마음수련을 시작하고 나서 일상생활에서도 명상을 틈틈이 했다. 마음이 어지러울 때마다 주문을 걸었다. 내가 만들어 놓은 허상 세계에서 벗어나려고 노력했다. 나의 새벽은 명상으로 가득 찼다. 나는 매일 새벽 두시 반, 세시 반이면 눈을 떴다. 아파서인 날도 있었고 화장실을 자주 가서인 날도 있었고, 두통이 심해서인 날도 있었다. 그렇게 눈을 뜨면 명상을 했다. 버리고, 버리고 또 버렸다. 명상을 통해 마음을 비워나가면서 마음도 안정을 많이 찾아갔다. 무엇보다도 혼자 울지 않아도 된다는 점이 마음이 편안했다.

언젠가부터 사람들은 나를 불쌍한 시각으로 쳐다봤다. 그게 너무 불편했다. 자꾸만 나를 위로하려고 했고, 자기들의 경험에 비추어 나한테 조언을 자꾸 했다. 내가 조언을 듣는 것을 불편해하면 나를 예민한 사람 취급했다. 심지어 자신들이 아팠던 경험, 자신들이 아팠을 때 하는 행동들에 비추어 자꾸 나의 치료 방향을 본인들이 결정하려고 했다. 내가 진짜로 아픈 게 아니라 심리적인 문제로 아픈 거 아니냐, 내가 너무 아프다는 생각에 빠져 버린 건 아니냐 하는 등 내가 엄살을 피우는 것처럼 말하고, 자꾸만 나의 아픔을 부정하려고 들었다. 내가 아프지 않길 바라는 마음에서 그런 말들을 하고 있다는 건 알지만 지금 나에게 필요한 건 그런 위로나 조언이 아니었다. 그냥 나의 아픔을 있는 그대로 인정해주고 공감해주는 것이 필요했다.

명상은 내가 듣고 싶지 않은 어떤 위로나 조언을 듣지 않아도 된다는 점에서 내 마음을 편안하게 했다. 힘든 상황은 맞는데 위로를 받고 싶지 않았다. 나를 불쌍하게 여기는 듯한 말투와 시선이 나를 더 힘들게 했다. 나는 불쌍한 사람이 아니다. 단지 몸이 아플 뿐이다. 나의 아픔을 보면서 사람들이 우월의식을 가지는 것 같았다. 그리고 그런 사람들이 점점 늘어났다. 내 인생은 여기서 끝난 것이 아닌데 내 인생이 망가져 내가 패자가 된 것처럼 말하는 사람들도 있었다. 내 인생은 여기서 끝이 아니다. 더 나은 인생을 살아가기 위한 준비를 하는 것이다. 나는 점점 나에게 상처 주는 말을 하고 나를 힘들게 하는 사람들을 만나지 않았다. 그냥 내가 온전히 나로 설 수 있게 나에게 긍정적인 에너지를 나누어 주는 사람들만 만났다. 누워서 우울증에 대해서 검색하는 것을 멈추고 생산적인 취미활동도 시작했다. 라탄 공예, 망스티치 가방 만들기, 쌀 빵 만들기 등 닥치는 대로 무언가를 만들어댔다. 걸리는 시간은 짧되, 완성도가 높은 것들로 골랐다. 그렇게 점점 자존감을 회복해나갔다.

제일 큰 변화는 좌절을 극복하고 내가 먹을 수 있는 음식들을 찾기 시작했다는 것이다. 내 몸이 거부하는 음식 말고 내가 먹을 수 있는 식재료를 찾아 음식들을 만들어 먹기 시작했다. 고기 대신 해산물, 콩기름 대신 올리브유와 포도씨유, 참기름 대신 들기름 등 대체 식품을 찾아 먹어보고 내 몸의 반응을 살폈다. 대두와 같은 제조시설에서 만들지 않은 칠리소스와 굴 소스 등 음식 재료를 찾아서 집에서 직접 조리해 먹었다. 면 종류를 좋아해서 밀가루로 만든 면 대신 글루텐프리 쌀 칼국수, 쌀 소면, 쌀 냉면, 쌀 파스타면 등을 사서 칼국수, 잔치

국수, 파스타 등을 집에서 직접 만들어 먹었다. 친정엄마와 시어머님도 요리연구를 시작하여 기존의 요리들을 조리법을 바꿔서 내가 먹을 수 있는 음식으로 만들어주셨다. 간장 대신 소금과 젓갈을 이용하여 간을 하고, 메줏가루 대신 찹쌀가루를 넣은 고추장을 만들어주셨다. 친정엄마가 만들어주신 찹쌀고추장 덕분에 먹을 수 있는 음식이 점점 늘어갔다. 고추장 덕분에 떡볶이도 먹을 수 있게 되었다. 물론 어묵 등 다른 재료는 넣지 못하지만 말이다. 그래도 행복했다. 식구들은 마트에서 하나라도 내가 먹을 수 있는 음식 재료를 발견하면 무조건 사고 보았다. 나는 점점 힘을 내기 시작했다. 그렇게 내가 먹을 수 있는 음식 가짓수를 늘려갔다. 여행을 가기 전에는 미리 식당을 알아보고 내가 먹을 수 있는 음식이 있는 곳을 미리 정하고 갔다. 길게는 못가지만 1박 2일 정도는 다녀올 수 있게 되었다. 나는 차츰 나의 병들과 함께하는 생활에 적응해 나갔다.

하지만 내가 앓고 있는 질병은 궤양성 대장염 하나가 아니었다. 갑상샘 항진증, 아급성 갑상샘염, 기립성 빈맥증, 자율신경계 실조증 등 여러 가지 질병을 앓고 있었다. 내가 어지럼증을 느끼는 원인은 기립성 빈맥증[3] 때문이라고 했다. 기립성 빈맥증은 희귀질환으로 아직 연구가 많이 되지 않은 질환이라 치료제가 따로 개발되지 않았다고 한다. 기존에 있는 약 중에서 나에게 맞는 약을 찾아야 했는데 기립성 빈

---

3   기립성 빈맥증이라? 기립 후에 혈압 저하가 없이 맥박만 증가하면서 실신이 유발되는 질환

맥증을 잡기 위해 빈맥을 낮추는 약을 먹으면 저혈압 쇼크가 와서 약을 다섯 번 정도 바꾸다가 결국 의사가 나를 포기하고 말았다. 다른 질환부터 고치고 와야 기립성 빈맥증을 치료할 수 있을 것 같다고 하였다. 나는 치료제 없이 스스로 고통을 견뎌야만 했다. 여러 가지 질환이 한꺼번에 겹쳐 있다 보니 약을 쓰는 것이 쉽지 않았다. 빈맥을 잡기 위해 약을 먹으면 혈압이 너무 떨어져 아나필락시스가 오고, 갑상샘질환을 치료하기 위해서는 단백질을 먹어야 하는데 단백질을 먹으면 궤양성 대장염 때문에 설사를 하거나 아나필락시스가 와서 단백질을 먹을 수 없었다. 그래서 한약으로 치료를 하려고 시도를 했는데 약재 중에 꽃이나 콩과식물이 많아 한약을 먹고 아나필락시스가 와서 죽을 뻔했다. 병원에서도 나를 너무 어려운 케이스의 환자라고 한다. 이렇게 많은 질환을 한꺼번에 앓고 있는 사람은 처음이라고, 심지어 전부 일반적인 양상으로 증상이 나타나는 것도 아니라 각 증상의 원인도 찾기 어렵고 치료가 너무 어렵다고 한다.

의학만으로는 치료하는데 한계가 있어 증상이 심해지거나 새로운 증상 추가로 인한 공포감이 몰려오면 나는 무조건 한의원으로 달려갔다. 정말로 침의 효과가 있는 건지, 아니면 심리적 플라시보 효과[4]가 있는 건지 침을 맞으면 증상들이 조금씩 가라앉았다. 울렁거림이 심할 때는 손과 발에 침을 맞으면 울렁거림이 멈추고, 설사하다가도 배에 침을 맞으면 잠시라도 설사가 멈췄다. 몸무게가 급격하게 줄어들

---

4 플라시보효과란? 가짜 약을 먹었는데도 진짜 약을 먹었다고 느끼면서 약효가 나타나는 현상

기 시작하다가 갑상샘 혈 자리에 침을 맞으면 몸무게가 줄어드는 것이 멈췄다. 점점 침을 맞는 곳이 늘어나 머리부터 발끝까지 앞, 뒤로 침을 맞았다.

휴직하고 나와 싸우는 동안 6개월이란 시간이 훌쩍 지났다. 6개월을 더 휴직하기로 했다. 아직 몸이 전부 회복되지 않은 것도 있었지만 좀 더 나와 만나는 시간을 가지고 싶었다. 6개월이 지난 시점, 도수치료사님이 병원을 옮기게 되고 나는 다시 퍼펙트 한의원에서 추나 치료를 받게 되었다. 잠시 집을 떠나 다른 곳에서 도움을 받다가 다시 제자리로 돌아온 기분이었다. 일주일에 두 번씩 추나실에서 나는 원장님과 더 많은 이야기를 나누게 되었다. 원장님은 그냥 내 이야기를 들어주셨다. 위로와 조언을 하기보다는 그냥 묵묵히 내 이야기를 들어주시고 나의 아픔을 있는 그대로 이해해주시려고 노력해주셨다. 아픔을 극복하기 위해 내가 하고 있는 노력들을 응원하고 지지해주셨다. 원장님과 이야기를 많이 나누면서 나는 몸이 아프다는 것에 집중하기보다 나를 성장시키기 위한 변화의 걸음을 한 발자국씩 내딛기 시작하였다. 그동안은 앞이 보이지 않는 컴컴한 터널 속을 혼자 걷고 있는 기분이었는데, 컴컴한 터널 끝에 한 줄기 빛이 보이는 것 같았다. 그 빛을 따라 나는 조금씩 터널 밖으로 나오고 있었다.

그 무렵 나는 글쓰기를 시작하였다. 나의 아픔을 세상 밖으로 꺼내놓고 싶었다. 나의 아픔이 누군가에게는 위로가 될 수도 있을 것이고, 나처럼 컴컴한 터널에 갇힌 사람들에게는 나와 함께 손잡고 터널 밖으로 같이 나가자고 손을 내밀고 싶었다. 그렇게 나는 인스타그램에 새로운 계정을 만들고 매일 매일 나의 투병일기를 쓰기 시작하였다. 내가 아픔을 이겨내기 위해 지금 실천하고 있는 것들을 1. 건강한 간식 만들기 편, 2. 건강 지키기 음식 편, 3. 건강 지키기 취미생활 편, 4. 건강 지키기 운동 편, 5. 건강한 일상생활 편 다섯 개의 챕터로 나누고 매일 1~2가지씩 피드에 올렸다. 아직도 움츠러들어 세상 밖으로 나오지 못하고 어둠 속에 갇혀 있는 이들에게 건강하게 세상 밖으로 나올 수 있는 방법을 공유하고 싶었다.

처음에는 가족, 오래된 지인들은 팔로우하지 않았다. 전부 새롭게 시작하고 싶었다. 아무도 나를 모르는 공간에서 나의 진짜 이야기를 털어놓고 싶었다. 차츰 팔로우 수가 늘어나고 지인들도 팔로우하기 시작하면서 부작용이 생겼다. 내가 아프다는 건 알고 있었지만, 글을 보니 나의 아픔이 더 격하게 느껴졌다고 한다. 그들은 나보다 더 아파하며 내가 시한부를 선고받은 것도 아닌데 전화를 해서 전화기를 붙들고 울었다. 오히려 내가 그들을 위로해 주어야 하는 상황이 됐다. 솔직히 말하면 고맙다기보다는 힘들었다. 나만의 문제만으로도 힘든데 그들의 감정이 더해지면서 내가 정말 불쌍한 사람이 된 기분이었다.

그냥 내 글을 글로 읽어주면 좋겠단 생각을 했다. 그들은 나의 아픔 속에 자기들이 매몰되어 빠져나오지 못하고 있었다. 나를 걱정해서 하는 말들이라고 생각하고 위로의 말들을 내뱉었지만, 나에게는 오히려 그 말들이 상처가 됐다. 나를 위한 말이라기보다는 본인들의 마음이 편안해지는 말들만 골라서 하는 것 같았다. 그렇게라도 해야 그들의 마음이 편안한 것 같았다. 나를 위한 위로가 아니었다. 전화기 너머로 들리는 내 목소리를 듣고 "목소리는 생각보다 괜찮네. 안심이야."하고 전화를 끊었다. 현재 내 마음은 중요하지 않았다. 자기들만 안심되면 그걸로 끝이었다. 나는 나의 아픔까지도 있는 그대로 받아들여지기를 원했다. 하지만 그들은 나의 예전의 밝은 모습만을 사랑하는 것 같았다. 나는 아파서도 힘들어서도 안 되는 사람인 것처럼 느껴졌다. '왜 나는 아프면 안 되는 거지? 나는 힘들면 안 되는 사람인가?' 반발심이 생기기 시작했다. 과거의 나와 비교해서 지금의 내가 부정당하는 거 같아서 그게 너무 힘들었다.

오히려 나를 잘 모르는 사람들의 응원이 더 힘이 되었다. 글쓰기 100일 챌린지에 참여하면서 다른 사람들과 내 글과 일상을 공유하기 시작했다. 얼굴도 이름도 나이도 직업도 성별도 모르는 사람들 속에서 나는 더 위로를 받고 내 이야기를 진솔하게 풀어낼 수 있었다. 세상에는 정말 부지런하신 분들이 많이 계셨다. 새벽 5시에 일어나 10km를 걷고, 독서 모임도 하고, 글을 쓰고 정말 열심히 사시는 분들이 많았다. 자극제가 되었다. 그동안 나도 나름 열심히 산 거 같은데 자신의 삶을 더 알차게 가꾸는 분들이 많았다. 나도 아픔을 극복하고 나의 삶을 더 알차게 꾸려나가고 싶어졌다. 아니 얼마나 살게 될지 모르는 내 인생을 더 의미 있게 만들어 보고 싶어졌다.

글쓰기 챌린지에 참여한 목적은 '나를 찾는 여행'이었다. 사회생활을 시작하고 나서 나는 다른 사람들의 눈치를 보느라 혹은 다른 사람들과의 관계가 망가질 것을 우려해 나보다는 타인이 우선인 삶을 살았다. 일을 할 수 없을 만큼 아픈 후에야 나를 돌아보기 시작하였다. 예전의 나는 나를 힘들게 하는 사람들, 나를 아프게 하는 사람들과도 잘 지내려고 노력했다. 그냥 나만 참으면 되는 줄 알았다. 근데 그게 그동안 나를 병들게 하고 있었다는 걸 알게 되었다.

이제야 나는 나의 마음의 소리를 듣는다. 나를 불편하게 하는 사람들을 멀리할 줄도 알게 되었다. 나를 보호하기 시작한 것이다. 나는 학창시절부터 많은 친구를 사귀지 않았다. 그냥 내가 좋아하는 친구 한 명이면 됐다. 주변에 사람이 많은 게 더 힘들었다. 사람들이 많은 곳에서 눈치를 많이 보는 편이었기 때문에 신경이 항상 곤두서 있었다. 나의 의도와 상관없는 오해가 생기는 상황이 싫었고, 그런 오해가 쌓이지 않도록 눈치를 보고 신경을 쓰느라 사람들을 만나고 돌아오면 너무 피곤했다. 그렇게 나는 사회적 가면을 쓴 채로 나 자신을 잃어가고 있었다.

마흔이 된 지금에서야 나는 나로서 살기 위한 노력을 시작하였다. 명상과 글쓰기를 하면서 나는 아직도 아파하고 있는 아주 작고 위축된 내면의 아이를 만났다. 움츠러든 어깨는 쉽게 펴지지 않았다. 아주 컴컴한 방에 혼자 쪼그려 앉아 있는 아주 작은 아이, 그 모습이 내가 만난 내면의 아이였다. 얼마나 외롭고 무서웠는지 좀처럼 일어서려고 하지 않았다. 사방이 컴컴한 방에서 한 발짝도 나올 생각이 없어 보였다. '왜 이렇게 움츠러들어 있었을까?' 나는 그 아이의 이야기를 들어

보기로 했다.

　내가 어렸을 때부터 인정받기 위해서 강화가 되었던 행동은 말을 잘 듣는 착한 아이였다. 착한 아이 증후군이 있었다. 나는 언니가 있다. 언니는 어렸을 때부터 공부도 잘하고, 노래도 잘하고, 그림도 잘하고 뭐든지 잘하던 언니였다. 그와 반면 나는 성적도 보통, 피아노도 보통, 뭐든지 보통만 하던 아이였다. 유일하게 내가 언니보다 잘했던 건 다른 사람의 상황을 좀 더 살피고 배려를 할 줄 안다는 것이었다. 나는 그걸로 인정을 받았다. 양보를 잘하고 배려를 잘하는 것, 그러다 보니 나는 인정을 받기 위해 내가 원하는 것보다는 일단 상대방의 이야기를 들어주는 쪽을 선택했던 것 같다. 성인이 된 이후에도 나는 습관적으로 '내가 원하는 건 나 혼자 있을 때 하면 돼. 다른 사람들이 원하는 걸 함께 하자.' 이렇게 생각하고 관계를 맺어나갔다. 사람들과의 관계 속에서 나는 없었다.

　항상 다른 사람들에게 맞춰주다가 내가 정말 불편해서 내가 원하는 걸 이야기하거나 내가 불편한 걸 이야기하면 돌아오는 것은 그동안 내가 가식을 떨었다는 반응이었다. 나를 기분 나쁘게 실컷 건드려 놓고 화를 내면 "그것 봐 너는 그동안 그냥 착한 척 한 거였어."라고 말하는 사람도 있었다. 사람들과 관계 맺는 것이 점점 힘들었다. 어느 순간부터 사람들과의 사이에 벽을 쌓고 내가 만났을 때 마음이 편한 사람들만 내 세상에 들어올 수 있게 허락하였다.

3. 터널 밖으로

나의 마음의 벽을 허물어 주신 건 한의원 원장님이셨다. 내가 무너지려고 할 때마다 나를 붙잡아주셨다. 항상 나의 상태를 체크 해주시고 그에 맞는 치료적 도움과 심리적 지원을 함께 해주셨다. 내가 음식이 먹기 싫어 끼니를 거르거나 병원치료를 빼먹으면, "먹기 싫어도 꼭 먹어야 해요. 내일은 꼭 병원 가야 해요. 약도 먹고 치료도 받고 와요."라며 단호하게 얘기해주셨다. 큰 눈으로 힘을 잔뜩 주고 말씀하시면 눈빛으로 혼을 내시는 것 같았다. 밥은 잘 먹고 있는지, 약은 잘 챙겨 먹고 있는지, 항상 체크 해주시고, 운동도 치료와 병행할 수 있도록 지원해 주셨다. 내가 심리적 안정을 위해 하는 취미생활에도 관심을 가지고 격려와 응원으로 지지해주셨다. 점점 더 퍼펙트 한의원은 나의 일상 속으로 스며들었다.

휴직하기 전, 일과 치료를 병행할 때에는 일하고 바쁘게 치료를 받으러 다니는 것이 너무 힘들고 우울했다. 직장에서는 업무를 제대로 수행하지 못하는 것 같아 스트레스를 받고, 그렇다고 치료를 포기하자니 치료를 받지 않으면 몸이 너무 아팠다. 점점 치료와 일을 병행하는 것이 벅차게 느껴졌다. 일을 포기하고 치료에만 전념하니 우울함이 많이 가라앉았다.

한의원에서 만난 원장님과 간호사 선생님들은 누구보다 나를 걱정하고 친절하게 대해주셨다. 한의원에 가면 나는 웃을 수 있었다. 간호사 선생님들이 건네는 농담이 좋았다. 나를 불쌍하게 보는 것이 아니라 그냥 한 사람으로 대해주는 것 같았다. 나의 아픔을 누구보다도 잘 공감해주면서도 있는 그대로의 나를 존중해 준다는 느낌을 받았다. 한의원을 가면 마음이 편안했다. 그래서 몸과 마음이 힘들 땐 무조건 한의원으로 달려갔다. 한의원에 갈 때는 항상 책을 들고 갔다. 기다리는 시간이 많기도 했지만, 치료실 안 커튼 속에 혼자 누워있으면 집중이 잘 됐다. 꼭 혼자 방 안에 있는 것 같았다. 원장님과 간호사 선생님들은 대기시간이 길어지면 미안해하셨지만 나는 괜찮았다. 그만큼 책을 많이 읽을 수 있었다.

간호사 선생님 중에 내가 읽는 책에 관심이 많은 분이 계셨다. 책 읽는 걸 좋아하는 눈치였다. 내 책을 사러 갔다가 간호사 선생님에게 줄 시집을 사서 선물로 주었다. 책을 계기로 우리는 편한 언니 동생 사이가 되었다. 얼마 전 아기를 낳았는데 내가 만들어 준 신발을 신은 아기 모습을 사진으로 보내주었다. 아픈 몸을 이끌고 며칠 밤 바느질을 해서 만든 아기 신발이었다. 엄마에게 건강하게 오라는 의미로 신발을 선물로 주었는데, 만삭 사진 찍을 때도 아기를 낳은 후에도 잘 사용해줘서 고마웠다.

한의원이 입소문이 나면서 환자들이 점점 많아졌다. 힘들어서 짜증이 날 법도 한데 원장님들은 하나라도 놓칠까 더 꼼꼼히 환자들의 상태를 살피고 치료해주셨다. 기다림에 지쳐 화를 내는 환자분들한테도 간호사 선생님들은 화를 내지 않고 웃으며 받아주셨다. 정말 존경스러웠다. 대표 원장님이 두 분이신데 처음 한의원을 만들 때 "치료는 기본이고 환자들이 찾아오면 환자들의 아픔을 들어주고 공감해주는 대화가 통하는 한의원을 만들자."라고 이야기를 나누셨다고 한다. 아마도 그래서 내가 원장님과 이야기하고 나면 상담을 받은 기분이 들었나 보다. 가끔 원장님이 다른 환자분들께도 다정하게 이야기하시는 걸 옆에서 듣고 있으면 질투도 난다. 말투가 엄청 다정하시다.

집 다음으로 시간을 많이 보내는 곳이 한의원이 되었다. 괜히 한의원 앞을 지나가면 마음이 안정되는 것 같아 일부러 한의원 앞을 지나가기도 했다. 휴직 동안 치료와 음식 관리, 운동, 명상, 취미생활로 꽉 찬 하루를 보냈다. 1년이면 어느 정도 건강이 회복될 줄 알았다. 건강이 더 좋아졌다면 좋았겠지만, 건강이 더 좋아지진 않았다. 오히려 체력이 저하되면서 컨디션이 저조한 날도 많았다. 건강이 좋아지는 치료를 하는 게 아니라, 더 이상 건강이 나빠지지 않게, 혹은 천천히 나빠지게 막아주는 치료를 하고 있다는 느낌이 들었다. 지금, 살아있는 오늘이 내 인생에서 가장 건강한 날인 것 같았다. '회복되면 해야지' 마음먹었던 일들을 뒤로 미루는 것을 그만두어야겠다는 생각을 했다. 더 미루다간 아예 하지 못할 수도 있겠단 생각이 들어 1년이란 시간 동안 나를 위해 아낌없이 투자했다. 사람, 음식을 포함하여 나를 아프게 하는 것들은 내 주변에서 다 차단해 버렸다. 나의 모든 시간은 치유를 위해 썼다. 그렇게 1년이란 시간을 보내고 나는 복직을 하기로 했다.

6개월 혹은 1년을 더 쉰다고 해서 몸이 완전히 회복된다면 휴직을 더 연장하겠지만 몸이 더 나아지리란 보장이 없었다. 다행히 학교에서도 나의 상황을 이해해주셨다. 수업에만 지장을 주지 않는다면 일찍 조퇴를 달고 퇴근을 해도 좋다고 하셨다. 이번 학기는 건강을 회복하는 데만 전념하라고 말씀해주셨다. 그런데 하늘은 나의 편이 아니었다.

복직을 결정하고 나서 저혈압 쇼크가 왔다. 복직 스트레스였을까? 일과 치료를 병행하는 생활로 돌아가야 한다는 것이 스트레스였던 것일까? 새로운 환경, 새로운 곳에서 다시 관계를 맺어야 한다는 것이 스트레스였을까? 아니면 나의 아픔을 이해받지 못했던 상황이 반복될까 트라우마가 작용한 것일까? 5일 동안 응급실에 두 번 실려 가고 밤낮으로 아무리 수액을 맞아도 혈압이 오르지 않았다. 피검사를 한 결과 뇌하수체부전증이라는 진단을 받았다. 뇌하수체부전증의 가장 큰 원인은 뇌하수체 종양이라고 한다. 나는 종양이 있는지 없는지 확인하기 위해 다시 대학병원 내분비내과로 가서 뇌하수체 mri를 찍어야 했다. 병원마다 검사 일정이 너무 늦어 검사결과가 나올 때까지 피 말리는 시간을 보내야 했다. 검사를 하는 데까지 한 달, 결과를 듣는 데까지 2주를 더 기다려야 했다. 그 시간 동안 무너지지 않기 위해 나는 매일 더 열심히 글을 쓰고 글씨와 그림을 그렸다. 검사결과 종양은 아니었지만 라스케씨[5] 낭종이라는 물혹이 있다고 하였다. 나의 두통과 저혈압의 원인은 종양 때문은 아닌 것으로 판명이 났고, 나는 복직을 했다.

---

5 라스케씨 낭종이란? 뇌하수체에 잘 생기는 물혹 가운데 하나

다행히 새로 간 학교의 교장, 교감 선생님과 동료들이 너무 많은 배려를 해주셔서 치료를 계속 받으며 학교생활을 안정적으로 해나가고 있다. 오전 수업이 끝나면 오후에는 치료를 받으러 병원에 간다. 일주일에 월, 목, 토 삼 일은 한의원을 가고 매주는 아니지만, 수요일은 주로 아산병원을 간다. 토요일에는 서울 류마티스 내과도 간다.

뇌하수체 종양 때문에 저혈압 쇼크가 온 게 아니라면 스테로이드제를 장기복용한 것이 부신피질 호르몬에 영향을 미쳤을 수도 있다고 하여 복직을 한 시점에 나는 스테로이드제를 완전히 끊기로 했다. 스테로이드제는 장기복용했을 때 리바운드 현상[6]이 심해서 약을 조금씩 줄여나가야 한다. 처음에 두 알 먹던 약을 한 알 반으로, 한 알 반을 한 알로, 한 알을 반 알로, 반 알을 격일로 그러다 완전히 중단하는 형식이다.

갑상샘염 때문에 스테로이드제를 먹기 시작했었다. 6개월 정도 스테로이드제를 복용했는데 혈압에 문제가 생기는 게 더 위험하다고 하여 스테로이드제를 끊기로 한 것이다. 스테로이드제를 끊으면서 약으로 억지로 눌러놨던 염증 반응이 폭발했다. 전신 근육통은 숨쉬기가 힘들 정도였고, 밤마다 관절이 부어올라 관절염약을 먹어야 했다. 염증 반응은 눈까지 영향을 미치게 되었다. 눈이 너무 아팠다. 특히 오른쪽 눈은 따갑고 너무 불편했다. 점점 앞이 잘 보이지 않았다. 운전하거나 핸드폰을 볼 때 혹은 컴퓨터 화면을 볼 때 초점도 잘 맞지 않고

---

6   리바운드현상이란? 스테로이드를 중단할 경우 그동안 가려져 있던 증상이 표면으로 드러나는 것

시야가 번지고 앞이 흐리게 보였다. 안과를 찾아갔다. 검사를 했더니 눈물샘의 기타 장애, 근시, 규칙 난시, 각막결막염, 주변부 망막변성, 저안압 녹내장, 마른 눈 증후군 등 8가지의 진단명이 나왔다. 착잡했다. 내가 초점이 잘 안 맞고 앞이 잘 보이지 않았던 이유는 규칙 난시 때문이었다. 벌써 3디옵터[7] 정도로 진행이 되었다고 한다. 안약으로 치료를 하고 렌즈를 통해 시력을 교정해 보기로 했다. 사실 눈이 불편한 건 아주 오래전이었다. 그동안 다른 증상들이 너무 심해서 눈이 아픈 걸 뒤로 미루고 있었는데 이 정도까지 나빠져 있을 줄은 몰랐다.

나는 계속 치료를 받고 있고 누구보다 열심히 병원에 다니고 있는데, 몸이 좋아지기는커녕 더 안 좋아지고 있었다. 좌절감이 너무 컸다. 그동안 약 때문에 내 몸이 얼마나 아픈지, 건강이 얼마나 안 좋아지고 있는지 느끼지 못하고 있었던 것 같다.

면역력이 떨어져 틈만 나면 감기에 걸렸고 알레르기 반응도 더 심해졌다. 갑상샘 항진증 증상도 심해져서 살도 갑자기 더 빠지기 시작했다. 눈이 나빠진 이유가 갑상샘 결절 때문일 수도 있다고 하여 나는 다시 여러 가지 검사를 해야만 했다. 갑상샘 항체검사, 초음파 검사, 갑상샘 스캔 검사, 아산병원에서 할 수 있는 검사는 다 해보는 것 같았다. 다행인 건지 불행인 건지 검사결과 결절이 문제를 일으켜 갑상

---

7 난시란? 안구에 입사된 빛이 망막 위의 한 점에서 초점을 맺지 못해 시야가 흐려지는 시력장애, 혹은 그러한 시력장애를 갖는 눈을 일컫는다. 0.6 디옵터 미만의 난시의 경우 정상에 속하고, 0.6부터 2 디옵터까지는 낮은 난시, 2부터 4 디옵터까지는 중등 난시, 4 디옵터를 초과하면 고도 난시이다

샘을 공격하거나 눈을 아프게 하는 건 아니라고 했다. 하지만 나는 검사결과를 듣고 더 우울해졌다. 차라리 결절이 문제이길 바랐다면 사람들이 이해할까? 내가 듣고 싶은 말은 "이 녀석이 문제였네요. 이 녀석만 해결하면 이제 건강해질 일만 남았어요."였다. 하지만 결과는 아니었다. 나의 통증은 결절과 아무 상관이 없다고 하였다. 심지어 의사는 결절이 어차피 커질 녀석이기 때문에 0.3mm만 더 키워 내년에 2.5cm가 되면 제거를 하자고 했다. 나는 화가 났다. 게다가 갑상샘 실질 자체에 염증이 있어 갑상샘염은 어떻게 할 수가 없다고 하였다. 의사에게 처음으로 화를 냈다. "그럼 나보고 이 상태로 계속 아프라는 소리인가요?" 환자의 마음을 너무 몰라주는 의사에게 화가 났다.

서러움이 폭발했다. 나의 통증을 끊어낼 희망이 사라졌다. 심지어 추가 부상이 있었다. 그냥 무방비 상태로 걷고 있는데 뒤에서 누군가가 가구를 실은 카트로 나를 들이박았다. 그 사람은 미안하단 말 한마디만 하고 가던 길을 가면 그만이었지만 그 고통을 감내해야 하는 것은 오롯이 내 몫이었다. "도대체 왜 또 나야. 그 수많은 사람 중에서 왜 하필 나야." 자괴감이 들었다. 안 그래도 안 좋은 관절은 퉁퉁 부어올랐고, 허리, 골반, 무릎, 발목이 너무 아파서 제대로 걸을 수가 없었다. 그냥 내가 사라져야지만 모든 게 끝날 거 같았다. 나는 또 한 번의 고비를 넘겨야만 했다.

몸이 안 좋은 날은 더더욱 한의원이 생각났다. 힘든 날은 잠도 잘 자지 못했기 때문에 새벽같이 일어나 한의원 선생님들이 출근하기도 전에 한의원에 가서 이름을 적어놓고 기다리기도 했다. 나에게 퍼펙트 한의원은 응급실 같은 곳이었다. 가끔 나에게 한의원을 너무 자주 가는 게 아니냐고 침 맞는 것도 힘들다고 자주 가지 말라고 이야기하는 사람들도 있다. 그렇게 말하는 사람은 나의 아픔을 이해하지 못하는 사람들이다. 침을 맞아 통증을 가라앉히지 않으면 걷지도 앉지도 눕지도 못하는 상태가 되어버리는 내 몸, 침을 맞지 않으면 전신 통증과 내과 증상들이 요동을 치기 때문에, 통증을 가라앉히기 위해서는 침을 맞아야 했다. 매일 침을 맞아야 한다면 매일 침을 맞을 수도 있었다. 어쩌면 심리적 효과일지도 모르겠다. 침을 맞고 나면 아픔을 가라앉히기 위해 뭐라도 했다는 안도감이 든다.

내 편견일 수도 있지만, 일반 사람들 특히 많이 아파보지 않은 사람들은 나의 아픔을 잘 이해하지 못하는 것 같았다. 자기가 아팠던 경험에 비추어 내가 엄살이 심한 사람처럼 이야기하거나 이렇게 오랫동안 몸이 아픈 걸 이해하지 못한다. 내가 "주사 치료는 너무 아파."라고 이야기하면, "너 그럼 많이 아픈 거 아니네. 나는 침 맞을 때 침 맞는 게 아프다고 느껴지면 한의원을 안 가. 네가 주사가 아프다고 느껴지면 너 많이 아픈 거 아니야."라고 이야기하는 사람도 있었다. 뒷목에 한 번에 12방씩 주사를 맞는데 아프지 않은 사람이 있을까? 처음엔 나도 '내가 엄살이 심한 건가? 정말 심리적인 문제로 몸이 아픈 건가?'라고 생각했다. 그래서 불편함이 느껴져도 한동안 참았다. 나를 믿지 못했다. 하지만 제때 치료받지 못한 증상들은 몇 개월 후 더 큰 문제로 나타났고, 다른 사람의 말이 중요하지 않다는 것을 알게 되었다. 아픔을 느끼는 건 나였지 그들이 아니었다. 처음에는 한의원 원장님도 서울내과 교수님도 내가 불편함을 호소하면 크게 여기지 않으셨었다. 하지만 몇 번의 사태 후 지금은 내가 불편하다고 이야기하면 누구보다 성심성의껏 이야기를 들어주시고 그에 맞는 처방을 내려주신다. 아직도 나는 새로운 병원을 가면 상처를 받는다. 처음 보는 의사들은 겉모습만 보고 내가 말하는 증상들을 가볍게 여긴다. 그동안 겪은 통증들은 상상조차 하지 못한 채 나를 유난 떠는 환자로 여기는 것 같아 기분이 상한 채 돌아오기도 했다.

　나는 견딜 수 없이 힘든 날일수록 나의 아픔을 공감해주는 사람들이 많은 한의원으로 달려갔다. 거의 쓰러질듯한 몸으로 한의원을 가면 한의원 원장님도 간호사 선생님들도 누구보다 걱정스러운 얼굴로 나를 맞이해주시고 내가 빨리 치료를 받을 수 있게 도와주셨다. 어떻게 될까 불안한 마음으로 한의원을 달려가면, 가서 앉아 있는 것만으로도 마음이 안정되었다. 어느 순간부터 교통사고가 난 것까지 감사하게 되었다. 교통사고 덕분에 나는 퍼펙트 한의원을 찾아갔고, 한의원에서 만난 원장님과 간호사 선생님들 덕분에 휘몰아치는 일련의 사건과 질병들을 무사히 헤쳐나갈 수 있었다고 생각하기 때문이다. 교통사고가 '우연이 아닌 필연적으로 일어난 사고였나?' 하는 생각까지 들었다. 큰일을 겪을 때마다 의지할 곳이 있다는 게 나에게는 큰 위안이 되었다. 나의 사건 사고를 함께 겪으면서 한의원 식구들은 내가 잘 견뎌낼 수 있게 응원해 주시고 많이 도와주셨다. 감사한 마음에 틈만 나면 간식을 사 갔다. 맛있고 좋은 것만 드리고 싶었다. 그런 든든한 지원군이 있음에도 불구하고 점점 투병 기간이 길어지면서 심리적으로 한계가 왔다. 모든 걸 놓아버리고 싶었다. 늦은 밤, 차를 몰고 나왔다. 하지만 죽을 용기는 없었다. 내 아이들이 너무 어렸다. 내 아이들에게 상처를 줄 수는 없었다. 일단 주차를 하고 차에 앉아 한참을 우는데 내가 너무 무서운 마음을 먹었다는 생각이 들었다.

또 한 번의 고비를 넘기고 지금 상황을 극복하기 위해 나는 캘리그라피에 더 몰두했다. 뭔가 마음을 집중하고 안정시킬 활동이 필요했다. 종종 인터넷을 보고 혼자서 따라 써본 적은 있지만 제대로 배워본 적은 없었다. 캘리그라피를 시작하고, 좋은 기회로 전시회까지 하게 되었다. 인사동 한 갤러리 관장님이 나의 인스타그램 피드를 보고 DM을 주셨다. 글씨와 그림이 함께 있는 내 작품이 인상적이라고 본인이 계획하고 있는 전시 주제와 내 작품이 맞는 것 같다며 전시를 제안해 주셨다. 새로운 자극제가 되었다. 나는 단지 내 아픔을 치유하기 위해 매일 글씨를 쓰고 그림을 그렸을 뿐인데 내 그림과 글씨가 다른 사람들에게도 위안이 될 줄은 몰랐다. 글씨를 쓰고 그림을 그리면 마음이 안정되고 힐링이 되었다. 그래서 아픈 몸을 이끌고 더 열심히 하루에 4~5시간씩 글씨를 쓰고 그림을 그렸다.

너무 우연한 기회로 어렸을 적 나의 꿈이 이루어진 것이다. 어렸을 때 장래희망을 쓰는 칸에 항상 화가를 적었다. 유치원 때부터 그림을 그리는 것을 좋아했고, 대회를 나가면 어김없이 수상했기 때문에 당연하게 미술 전공을 희망했다. 그런데 생각지도 못하게 꿈을 접어야만 했다. 집에서 경제적인 이유로 반대를 했다. 그림에 대한 끈을 놓지 못한 나는 대학 진학 후 미술학부 수업을 들으며 그림에 대한 끈을 부여잡고 있었다. 하지만 졸업을 앞둔 시점에 현실의 벽에 부딪히면서 안정적인 직업을 선택했다. 미술은 내 길이 아니었다고 생각하고 마음을 완전히 접었다. 그리곤 붓을 들지 않았다. 그런데 돌고 돌아 생각지도 못한 계기로 내 그림이 전시장에 걸리게 된 것이다. 그동안 내가 걸어온 길이 내 길이 아니었던 것처럼, 내가 가야 할 원래 길로 돌아갈 수 있도록 자꾸 사고가 나고 몸을 아프게 하여 계속 그림을 그리게 만든 것처럼 느껴졌다.

전시회가 끝나고 지금은 내 그림이 퍼펙트 한의원에 걸려있다. 내가 글과 그림으로 위로를 받았듯이 한의원에 오는 환자들도 글과 그림을 보고 힘든 마음이 조금이라도 치유가 되었으면 좋겠다는 희망을 담았다.

오늘도 나는 글을 쓰고 글씨와 그림을 그린다. 아트페어에도 참여하고, K-ART를 세계로 알리기 위한 아트쇼에도 참가한다. 언젠가 나의 글과 글씨, 그림으로 가득한 책도 내고, 내 작품이 가득한 개인전을 열어보고 싶다. 작가의 방도 가지고 싶다. 아직도 수많은 검사와 통증으로 병마와 싸우고 있지만, 오늘도 나는 꿈을 꾼다.

오늘도 나는 꿈을 꾼다

라빔캘리

김영식

하이

하이　　　대구에서 태어나 부산에서 살고 있다. 누군가를 미소 짓게 할 때 살아 있음을 느낀다. 시골에서 장작 타는 냄새 맡는 것을 좋아한다. 앞만 보며 열심히 걸어가다가, 잠깐 멈춰 주변을 둘러 볼 때 비로소 보이는 것들이 있다. 시간이 지나면서 깨닫게 되는 것들이 있다. 그런 것들을 함께 나누고 싶다. 그래서 남기기로 했다.

5년 만에 찾아간 우리 집에는 처음 보는 할아버지가 앉아 있었다. 할아버지는 쪽마루에 걸쳐 앉아 대문 밖을 매서운 눈빛으로 노려보고 있었다. 멀리서 봤을 때는 아버지인줄 알았다. 5년이라는 세월이 무섭게 아버지의 머리가 하얗게 세신 줄만 알았지. 설마 다른 사람일 것이라고는 상상도 못했다. 나는 대문 밖에 우두커니 서서 할아버지를 바라보았다. 할아버지의 눈이 점점 커지는 것이 보였다. 이내 할아버지는 자리에서 벌떡 일어나더니 들고 있던 신문을 옆에 내팽개치고 나를 향해 느린 걸음으로 다가오기 시작했다. 험상궂은 인상대로 눈가에 주름이 져 있는 할아버지의 눈에서는 닭똥 같은 눈물이 뚝뚝 떨어졌다. 할아버지는 두 손을 앞으로 뻗으며 걸어오다 내 앞에 다다르자 엉거주춤 나를 끌어안았다.

　"영식아. 아이고, 영식아."

　할아버지는 나를 안은 채로 연신 '영식'이라는 이름만 불렀다. 난 영식이가 아닌데. 그러나 입이 떨어지지 않았다. 할아버지 뒤로 대문에 달려 있는 문패가 눈에 들어왔다. 문패에는 '김 씨' 성의 이름 석 자와 '이 씨' 성의 이름 석 자가 나란히 적혀있었다. 할아버지에게 안겨 있는 온 몸에 긴장이 풀리며 힘이 쭉 빠지는 것이 느껴졌다. 동시에 장의 깊은 곳에서 부터 뜨거운 무언가가 올라오기 시작하더니 곧 숨통을 막는 듯했다. 입에서는 허탈한 웃음이 나오는 반면 눈에는 눈물이 핑 고였다. 점점 상황이 파악되기 시작했다.

더 비참한 것은 할아버지의 품이 따듯해서 나도 모르게 계속 안겨 있었다는 것이다. 할아버지에게서 어르신한테 나는 특유의 살 냄새가 났다. 나는 천천히 몸을 뒤로 뺐다. 나를 붙잡고 있던 할아버지의 손이 힘없이 아래로 떨어졌다. 나는 할아버지가 기분 나쁘지 않도록 조심스럽게 시선을 내려서 할아버지를 바라보았다. 할아버지는 고개를 들지 않았다. 할아버지의 시선은 계속해서 앞을 향해있었다. 할아버지의 눈물은 멎은 듯했다.

"할아버지. 착각하신 것 같은데 저 영식이 아니에요."

나는 힘겹게 입을 열어 말했다. 여전히 가슴에 쥐어오는 고통이 느껴졌다. 할아버지는 아무 반응도 하지 않았다. 그저 앞만 바라보았다. 나는 할아버지의 상태가 정상이 아닌 것 같다는 생각이 들었다. 도움을 요청할 만한 사람이 있는지 대문 안을 살펴보았다. 그러나 아무 기척도 느껴지지 않았다. 그때 갑자기 거친 손이 내 손을 확 낚아챘다. 할아버지의 손이었다. 할아버지는 고개를 들어 나를 노려보았다.

"계속 서 있을 거냐? 들어와."

나는 할아버지의 손에 이끌려 대문 안으로 들어갔다. 대문 안에는 넓은 마당이 있었다. 마당에는 고추 텃밭이 사라지고, 처음 보는 개집이 달랑 자리를 차지하고 있었다. 염소 우리는 창고로 쓰이는 듯 온갖 잡동사니로 가득 차 있었다. 세월의 흔적이 곳곳에서 느껴졌지만 익숙한 풍경이었다. 순간 또 가슴이 벅차오르는 것이 느껴졌다. 할아버지는 한 번 더 내 손을 잡아끌었다. 나는 할아버지를 따라 신까지 벗고 집 안으로 들어섰다.

마당과 달리 집 안에는 많은 것들이 바뀌어 있었다. 거실에 있었던 커다란 탁자는 사라지고 전기장판 위로 이불들이 널브러져 있었다. 소파가 있던 곳에는 침대가 있고, 텔레비전이 있던 곳에는 먼지 쌓인 화장대가 있었다. 우리가 사용했던 것보다 더 얇은 벽걸이 텔레비전이 한쪽 벽면에 걸려있었다. 그나마 익숙한 것은 내가 어렸을 적에 실수로 찢어놓은 색 바랜 벽지 정도였다. 할아버지는 나를 거실에 앉힌 후에야 잡고 있던 내 손을 놓았다. 할아버지는 익숙한 듯 텔레비전을 켰다. 삭막했던 집 안에 사극 드라마로 기척이 채워졌다. 나는 전기장판에 맞댄 엉덩이에 따듯한 온기가 퍼지는 것이 느껴졌다. 이내 마음도 녹는 듯했다. 나는 할아버지에게 대화를 시도했다.

"저 할아버지. 언제부터 여기 사셨어요?"

"몰라."

"원래 여기 살던 사람들 어디로 갔는지 아세요?"

"몰라."

"할아버지. 할머니는 어디 계세요?"

"죽었어."

할아버지가 질문에 연신 모른다고만 대답하기에 질문 주제를 바꿔

보았는데, 아뿔싸 할머니가 돌아가셨을 줄이야. 그러나 질문을 수습할 필요가 없을 정도로 할아버지는 담담했다. 나는 소통의 희망을 붙잡은 채 계속해서 대화를 이어나갔다.

"영식이는 할아버지 손자이신가 보네요?"

"몰라."

"그럼 정섭이는 어디 갔는지 아세요?"

정섭은 우리 아버지 성함이다.

"몰라."

점점 소통의 희망이 사라져갔다. 할아버지의 상태는 치매 증상과 가까웠다. 심지어 할아버지는 혼자 사시는 것 같았다. 이럴 땐 어떻게 해야 하는 거지. 나는 휴대폰을 꺼내 112를 쳤다. 그러나 차마 통화 버튼을 누를 용기가 나지 않았다. 나는 치매 센터 연락처를 찾으려 인터넷 검색창에 들어갔다. 그러나 검색 버튼을 누르기도 전에 할아버지가 말을 걸었다.

"영식아."

"네?"

나도 모르게 대답했다.

"배고파."

할아버지는 자신의 배를 어루만졌다. 창밖을 보니 마당 뒤편으로 이미 해는 사라지고 하늘은 어둑해지고 있었다. 나 역시 아무것도 먹지 못한 채 장거리를 내려왔다. 그러나 워낙 긴장했던 탓에 배가 고픈지도 몰랐다. 나는 자리에서 일어나 부엌으로 갔다. 먹을 것이 있는지 이리저리 둘러보았다. 냉장고 안에는 초코파이와 김치 그리고 정체를 알 수 없는 액체 몇 통이 있었다. 아무리 보아도 반찬으로 먹을 만한 음식은 보이지 않았다. 초코파이라도 먹을까 유통기한을 찾으려고 봉지를 유심히 살피는 찰나에 마당에서 기척이 느껴졌다.

"영감님. 저녁 잡수시요."

부드러운 여성의 목소리였다. 나는 복도로 나갔다. 할아버지도 거실에서 나와 문을 열고 있었다. 문 밖에는 한 아주머니가 밥상을 들고 서있었다.

"아이고. 이게 누구야? 영감님 손주요?"

나를 본 아주머니가 눈을 휘둥그레 뜨며 말하였다. 나는 어디부터 설명해야 할지 몰라 잠깐 얼음이 되었다. 그 사이 할아버지가 대답했다.

"아니. 영식이야. 영식이가 왔어."

"영식이요? 아이고. 영감님. 이래 멀쩡한 아를 영식이로 착각하면 우째요? 영식이 고거는 집 나가서 이제 안돌아온다니까."

드디어 말이 통하는 사람을 찾았다. 나는 아주머니로부터 밥상을 받아 거실 바닥에 놔두었다. 아주머니는 반찬과 밥을 더 가져오겠다며 조금만 기다리라고 하였다. 할아버지는 밥상머리에 앉더니 바로 밥을 먹기 시작하였다. 아주머니는 금방 돌아왔다. 아주머니가 들고 온 쟁반에는 밥과 반찬 그리고 사과와 과도가 올려져있었다.

3년 전, 아주머니 가족은 옆집으로 이사를 왔다. 아주머니가 우리 집에 인사를 하러 갔을 때 그곳에는 자신의 또래로 보이는 여성과 그녀의 아들로 보이는 남학생이 있었다고 했다. 아주머니는 이 시골 마을에서 또래 여성을 만난 것이 반가워 몇 번 찾아가고 그랬지만 그녀는 이를 부담스러워 했다. 그래서 아주머니도 점점 발길을 끊었다. 아주머니의 증언에 따르면 우리 아버지로 추정되는 남자는 단 한 번도 보지 못했다고 한다. 아주머니도 이에 대해 물어보고 싶었으나 워낙 이 집 사람이 본인에게 거리를 두니 물어볼 수가 없었다고 했다.

　한 달이 채 되지 않았을 때 우리 집에 살고 있던 사람들은 이사를 갔다. 아주머니는 이를 이야기하며 아무리 그래도 옆 집 사람인데 귀띔 하나도 주지 않고 갔다고 서운한 티를 냈다. 그리고 얼마 지나지 않아 우리 집에 노부부가 이사를 왔다. 지금 살고 있는 할아버지 부부였다. 할아버지는 원래 이 집의 주인이었다. 노부부는 건강이 악화된 할머니를 위해 도시에서 시골로 이사를 온 것이었다. 이때만 해도 할아버지의 상태는 정상이라고 했다. 할아버지는 숫기가 적고 과묵한 사람이었다. 노부부가 이사 오고 사계절이 지난 뒤 할머니는 병으로 별세했다. 홀로 남게 된 할아버지는 얼마 뒤 집에 커다란 개 한 마리를 데리고 왔는데, 할아버지는 그 개를 '영식' 이라고 불렀다.

　"컥컥. 영식이가 개라고요?"

　나는 순간 입에 머금고 있던 사과를 뱉을 뻔했다. 영식이가 개라니. 여간 기분 나쁜 사실이 아닐 수 없다. 아주머니는 몰랐냐며 박장대소를 하였다. 나는 얼이 빠진 채 헛웃음을 쳤다. 아주머니는 다시금 목소리를 가다듬더니 계속해서 이야기를 이어갔다.

"세 달 전이었나. 그 영식이라는 똥개도 집을 나갔더라고."

"지금까지 못 찾았나보네요?"

"그런가봐. 할아버지도 별 미련 없는지 찾지도 않는 것 같았어."

영식이라는 개는 석 달 전 즈음에 사라졌다고 한다. 그러나 그때만 해도 할아버지는 영식을 지금처럼 애타게 부르며 기다리지 않았다고 했다. 할아버지의 상태가 변화하기 시작한 것은 채 한 달도 안 된 것 같았다.

"할머니 외에 할아버지의 다른 가족 분은 없으시던가요?"

"글쎄다. 자식이라든가 친척이라든가 하는 사람은 한 번도 본 적이 없어. 할멈 장례식 때도 자식처럼 보이는 사람은 코빼기도 안 보이더라고."

나는 몸을 살짝 비틀어 할아버지를 바라보았다. 할아버지는 그새 침대에 누워 어린아이처럼 잠들어 있었다.

"할아버지를 이대로 혼자 놔두어도 괜찮을까요?"

"흠…. 그러게. 근데 보호자가 없으니 원. 어디에 신고를 하거나 맡기려고 해도 보호자가 필요하다고 해서 어떻게 할 수가 없어. 독거노인 복지인지 뭐 시기인지 학생은 아는 것 좀 없어?"

"저도 잘…. 한 번 찾아봐야 할 것 같아요."

"그래. 학생이 함 찾아봐. 아줌마도 나이를 먹어서 뭘 찾는 데에도 한계가 있더라고."

아주머니는 혀를 끌끌 찼다. 어느새 하늘은 깊은 밤이 되어 검게 물들어 있었다. 도시에서는 볼 수 없었던 별들이 하늘 곳곳에 꿰매어 져 있었다. 아주머니는 휴대폰으로 시간을 확인하더니 아차 하고 놀라며 황급히 자리에서 일어났다. 보아하니 남편이 집에 돌아오는 시간인 것 같았다.

"내가 오늘 말이 너무 많았네. 갑작스러운 손님이 찾아온 것이 반 가워가지고."

아주머니는 멋쩍은 듯 하하 웃으며 자리를 떠나셨다. 달이 기울었 다. 아무도 찾지 않는 깊은 밤에 할아버지의 코골이 소리가 울려 퍼 졌다.

익숙하지 않은 알람소리가 귓가에 울렸다. 나는 소리의 원인을 제거하기 위해 손으로 바닥을 더듬거렸다. 그러나 막상 손에 잡힌 휴대폰은 아무런 미동도 없었다. 보아하니 집 안이 아니라 집 밖에서 나는 소리 같았다. 닭 울음소리인가? 눈을 감고 있어도 내가 있는 공간이 밝은 빛으로 가득 채워졌다는 것이 느껴졌다. 오랜만에 느껴보는 개운함이었다. 이렇게 푹 잔 것이 얼마만인지. 나는 천천히 눈을 떴다. 누런 천장이 보였다. 이상하다. 내 방 벽지는 회색인데. 순간 눈이 번뜩 뜨였다. 어제 있었던 일들이 파노라마처럼 지나갔다. 서울에서 3시간동안 기차를 타서 대구로 갔다. 대구에서 또 2시간가량 시외버스를 타서 이곳으로 왔다. 터미널에서부터 기억을 더듬으며 1시간정도 걸어 겨우 겨우 도착한 집에는 웬 처음 보는 할아버지가 있었다. 그것도 나를 '영식'이라는 개로 착각하신.

"헉!" 나는 주위를 둘러보았다. 미지근하게 식어 있는 전기장판 위로 이불들이 널브러져 있었다. 그제야 나는 내가 어젯밤 할아버지 집에서 잠들어 버렸다는 것을 깨달았다. 나는 당장 자리에서 일어났다. 거실 한 구석에 박혀 있는 가방을 집어 들었다. 나는 서둘러 거실 밖으로 나갔다. 활짝 열린 문 사이로 들어오는 강한 햇살이 서늘한 공기가 내려앉은 복도의 한 중간을 환하게 비추고 있었다. 그리고 그곳에는 할아버지가 신문을 들고 앉아 있었다.

"할아버지 죄송해요. 어제 밤은 저도 모르게 잠들어 버렸어요. 지금 당장 나갈게요."

나는 머리를 조아리며 황급히 말했다. 그러나 할아버지는 들은 체도 하지 않았다. 나는 조용히 침을 삼키고 이곳을 벗어나기 위해 한 발을 떼었다. 그때 갑자기 할아버지가 소리 쳤다.

"가긴 어딜 가!"

"네?"

"밥 먹어야지! 그렇게 야위어서는."

그제야 할아버지는 시선을 돌려 나를 바라보았다. 못마땅해 보이는 시선이 나를 위아래로 훑고 지나갔다. 할아버지는 혀를 끌끌 찼다.

"밖에서 사먹을게요. 걱정 마세요."

"사 먹기는 무슨. 집에서 먹고 가."

어른의 말에 계속 토를 달 거냐는 할아버지의 말에 나는 더 이상 말을 잇지 못했다.

"그럼 밥만 먹고 갈게요…."

"당연하지." 할아버지는 옅은 미소를 지어보였다.

나는 다시 거실로 들어갔다. 내가 지금 이럴 때가 아닌데. 가슴 깊은 곳에서부터 한숨이 나왔다. 어젯밤, 옆집 아주머니가 떠나고 홀로 남은 나는 앞으로 어떻게 해야 할지 머리를 골똘히 굴려보았다. 그러나 별다른 수가 떠오르지 않았다. 5년 전 집을 떠나 가장 먼저 한 행동이 휴대폰 번호를 바꾸는 것이었다. 이때, 가족의 흔적은 싹 지워버리자는 마음으로 아버지의 연락처도 삭제해버렸다. 이후로 한 번도 아버지의 목소리를 들은 적이 없다. 아버지의 번호 역시 외우지 못했다. 그때는 내가 다시 집으로 돌아올 거라고는 상상도 못했기 때문이다.

내가 집을 떠난 이후, 아버지는 어디로 가신 걸까? 내가 다시 집으로 돌아올 거라고는 전혀 생각하지 않으신 건가? 나는 고개를 돌렸다. 거실 문 밖으로 쪽마루에 앉아 있는 할아버지의 굽은 등이 보였다. 지금에서야 생각해보니 아버지가 어떤 일을 했는지, 아버지의 지인은 누가 있는지 아무것도 아는 바가 없다. 그야 아버지는 내게 본인의 이야기를 한 번도 한 적이 없었고, 나 역시 물어보지 않았기 때문이다.

할아버지는 어느새 읽던 신문을 문 안 쪽에 내려놓고, 대문 밖을 바라보고 있었다. 대문 밖으로 동네를 둘러싸고 있는 담벼락과 담벼락 너머의 초등학교 건물이 보였다. 할아버지는 한동안 대문 밖을 응시하다가 자리에서 일어났다. 할아버지는 마당을 두어 번 돌며 마당에 떨어진 나뭇잎이나 쓰레기를 주웠다. 아무 말 없이 할아버지를 바라보던 나는 할아버지가 갑자기 방향을 바꿔 쪽마루를 향해 걸어오는 바람에 할아버지와 눈이 마주쳤다. 나는 살짝 입 꼬리를 올려 미소를 지어 보였다. 그러나 할아버지의 표정에는 아무런 미동도 없었다. 나는 다시 입 꼬리를 내렸다. 쪽마루에 앉은 할아버지는 익숙한 듯 복도 바닥에 신문을 폈다. 그러고는 손가락에 침을 묻혀 한 장, 한 장 페이지를 넘겼다. 원하는 기사를 찾았는지 할아버지는 페이지를 넘기다 말고, 신문을 집어 들어 시선을 고정하였다. 한참을 유심히 신문만 바라보던 할아버지는 마당에 참새가 지나갈 때만 잠깐 고개를 들어 참새를 따라 시선을 움직였다. 그때 갑자기 꼬르륵 소리가 정적을 깨뜨렸다.

"영감! 점심 잡수시오."

옆집 아주머니가 밥상을 들고 찾아왔다. 아주머니가 가져온 밥상에는 내 것으로 보이는 밥그릇도 있었다. 아주머니는 주위를 둘러보더니 이내 할아버지 너머로 거실에 앉아 있는 나와 눈이 마주쳤다. 나는 얼른 자리에서 일어나며 아주머니에게 인사했다.

"아직 안 갔네? 혹시나 하고 챙겨왔는데, 챙겨오길 잘 했어! 입맛에 안 맞아도 팍팍 먹어줘."

아주머니는 아침부터 에너지가 남달랐다.

"할아버지 식사는 이렇게 늘 챙겨주시는 거예요?"

나는 감사한 마음을 표현하기 위해 숟가락에 밥을 한가득 떠서 입에 집어넣었다. 아주머니는 야무지게 먹는 나를 바라보며 흐뭇한 미소를 지었다.

"뭐, 내가 먹을 밥 만드는 김에 그냥 같이 만드는 거지. 이렇게 한 지도 얼마 안 되었어. 영감님 상태가 이상해지기 시작한 이후로 밥도 잘 못 드시는 것 같아서 원."

"그렇군요." 나는 천천히 고개를 끄덕거렸다.

아주머니는 잠깐 머뭇거리더니 계속 말을 이었다.

"아버지 생각나기도 하고…. 우리 아버지가 딱 영감님 나이 대에 돌아가셨거든. 엄마 일찍 돌아가시고 아버지 혼자 살다 돌아가셨는데, 다 떠나고 나니까 그제야 좀 관심 좀 가지고 챙겨드릴걸 후회가 되더라."

나는 아무 대답도 하지 않았다.

"학생도 어떤 이유로 집을 나갔는지는 모르겠지만 잘 돌아왔어. 비록 가족들은 못 만났지만, 돌아온 걸 알면 가족들도 참 기뻐할 텐데….”

아주머니는 말끝을 흐렸다. 그러고는 멋쩍은 듯 웃으며 자신도 모르게 오지랖을 부렸다며 사과했다. 나는 괜찮다고 대답하였다.

“아참! 학생. 내가 부탁하나 해도 될까?”

“부탁이요?”

“우리 집 부엌에 선반을 하나 설치하고 싶었는데…. 바깥양반이 맨날 늦게 들어오니 부탁할 데가 없어가지고. 혹시 오후에 우리 집에 와서 선반 좀 설치해줄 수 있나?”

나는 입에 음식을 머금은 채로 고개를 끄덕거렸다.

아주머니 집은 우리 집 대문에서 열 걸음만 걸어가면 닿을 정도로 바로 옆에 있었다. 집 안으로 들어서자 가장 먼저 거실 벽에 걸려있는 가족사진이 눈에 들어왔다. 10년도 더 전에 찍은 것처럼 사진 속 아주머니는 지금보다 훨씬 젊어보였다. 사진 속에는 아주머니와 아주머니의 남편으로 보이는 남자 그리고 그의 자녀들로 보이는 두 딸이 다정하게 앉아있었다. 아주머니는 나를 부엌으로 안내했다. 아주머니는 대충 어느 위치에 선반을 설치하면 될지 알려주면서 내 손에 망치를 쥐여 주었다.

"가만 보자…. 못을 어디 놔뒀더라?"

아주머니는 거실 서랍들을 뒤지기 시작하였다. 나는 여전히 망치를 든 채로 부엌에 서 있었다. 아주머니는 나의 소중한 시간을 자신이 뺏고 있다고 미안해하며 집안 곳곳을 돌아다녔다. 그러나 아무리 찾아도 못이 나오지 않았다. 어느새 집안은 아주머니가 휘저어 놓은 흔적으로 잔뜩 어질러져있었다. 마침내, 아주머니는 무언가 생각이 난 듯 아! 하고 탄식을 질렀다.

"아, 내 정신 좀 봐. 내가 며칠 전에 요 근처 사는 성주 아줌마한테 공구상자를 빌려줬지 뭐야. 이 아줌마가 쓰고 돌려준다는 걸 깜빡했나보네. 거기에 못들이 다 들어가 있걸랑."

아주머니는 성주 아줌마 네에서 당장 못을 가지고 오겠다고 조금만 기다리라고 하였다. 어느새 나는 아주머니 집에 홀로 남게 되었다. 나는 손에 쥐고 있던 망치를 부엌 바닥에 내려놓았다. 아주머니가 얼른 돌아오기를 바라며 나는 시간을 때울 겸 바지 주머니에서 휴대폰을 꺼냈다. 무음으로 설정되어 있었던 휴대폰에는 부재중 전화 두 통과 문자 한 통이 와있었다.

[너 어디로 내뺀 건 아니지? 문자보면 전화해라.]

연락을 보낸 사람은 다름 아닌 회사에서 같이 일했던 형이었다. 순간, 심장이 빠르게 뛰기 시작하는 것이 느껴졌다. 손도 떨고 있었다. 과거의 잔상들이 스쳐지나가며 내가 지금 어떤 상황에 처해 있는지 다시금 현실 감각이 돌아오기 시작했다. 나는 떨리는 손을 겨우 진정시키며 천천히 휴대폰 화면의 키보드를 꾹 꾹 눌러댔다.

[돈 구하고 있어요. 조금만 기다려주세요. 약속한 기한까지는 꼭 연락 줄게요.]

답장이 제대로 전송된 것을 확인하자마자 나는 휴대폰 전원을 껐다. 회사에서 내가 시골로 내려온 걸 눈치 챘나? 혹시 이걸 도망쳤다고 생각하는 건 아니겠지? 설마 위치까지 추적하는 건? 부정적인 생각이 계속해서 꼬리를 물고 이어지려 할 즈음, 마당에서 기척이 느껴졌다. 아주머니가 돌아오셨나 보다. 나는 생각을 멈추기 위해 깊게 한숨을 내쉬었다. 그리고 바닥에 두었던 망치를 집어 들었다. 나는 아주머니를 맞이하러 부엌에서 나가 현관문으로 향하였다.

"으아악!"

퍽! 하고 커다란 물체가 내 얼굴을 강타했다. 보아하니 가방인 것 같다.

10초전, 나는 아주머니를 맞이하러 부엌에서 나가 현관문으로 향하였다. 현관문은 활짝 열려있었다. 보아하니 아주머니가 나갈 때 안 닫고 간 것 같았다. 문 밖에는 한 여자가 서 있었다. 여자는 어깨까지 오는 갈색 머리에 짙은 고동색 눈동자를 가지고 있었다. 얼핏 보아도 나와 또래일 것 같은 여자는 토끼 눈을 한 채로 집 안을 바라보고 있었다. 한바탕 어질러져 있는 집 안 말이다. 나의 기척을 느낀 여자는 움찔하고 놀라며 천천히 고개를 들었다. 여자와 눈이 마주친 것도 잠시, 여자의 시선은 곧바로 내 손으로 떨어졌다. 여자의 얼굴이 하얗게 질렸다. 아 참, 내가 망치를 쥐고 있었지. 내가 해명하려고 입을 떼기도 전에, 여자는 냅다 비명을 지르며 자신이 매고 있던 가방을 내 얼굴로 집어던졌다. 얼굴에 쓰라린 고통이 느껴졌다. 내가 얼굴을 부여잡고 있는 사이, 여자는 대문 밖으로 달아나기 시작했다.

"112, 112에 신고해야 돼!"

여자는 겉옷 주머니에서 휴대폰을 꺼냈다. 그것만은 절대 안 돼! 나는 마음속으로 기겁을 하며 여자의 뒤를 쫓아 달렸다. 내가 따라오는 소리를 들은 여자는 더욱 속력을 높였다.

"오해예요! 저 이상한 사람 아니에요!"

나는 달려가는 여자의 뒤에다 대고 소리쳤다. 여자는 뒤도 돌아보지 않은 채 계속해서 달리며 대답했다.

"그런데 왜 쫓아와요? 따라 오지 마세요!"

"아, 알겠어요. 안 따라갈게요! 그러니까 신고하지 마세요. 저에게 설명할 시간 좀 줘요!"

나는 그 자리에 멈춰 섰다. 여자는 속도를 줄이며 뒤를 돌아보았다. 여자의 얼굴은 여전히 사색되어 있었다. 여자도 그 자리에 멈춰 서고는 내게 휴대폰 화면이 보이도록 휴대폰을 들어보였다. 휴대폰 화면에는 112가 적혀 있었다.

"가까이 오면 신고 할 거예요. 흑. 망치부터 내려놔요!"

여자가 갑자기 달아나는 바람에 나도 모르게 망치를 쥔 채 여자를 따라갔다. 나는 냅다 망치를 바닥에 내려놓았다. 나는 여자가 안심할 수 있도록 망치를 발로 쭉 밀어내어 나로부터 멀어지게 했다. 그제야 여자는 조금 안심이 되었는지 작게 한숨을 내쉬었지만 여전히 경계는 풀지 않은 듯 나를 노려보았다. 나는 어디부터 설명해야 할지 머리를 굴렸다.

"어…. 그러니까, 음…. 저 영식이에요. 옆집 사는…."

순간 뇌가 정지 되었나보다. 여자는 나를 이상한 표정으로 쳐다보았다. 말은 하지 않아도 여자가 무슨 생각을 하는지 목소리가 들리는 것 같았다. 때마침 옆집 아주머니가 내 뒤에 나타났다. 손에 공구상자를 든 채로 어리둥절한 표정으로 우리를 번갈아 보는 아주머니가 나에게 구세주로 느껴졌다. 나는 아주머니에게 애처로운 눈빛을 보냈다. 다행히 우리가 달려간 방향이 성주 아줌마 집과 가까웠나보다. 아주머니가 입을 열기도 전에 여자가 먼저 입을 열었다.

"엄마! 이 사람 뭐야?"

여자는 아주머니의 딸이었다. 아주머니는 어떤 상황인지 대충 파악이 된 듯 고개를 한 번 끄덕거리더니 내가 누구인지 설명하기 시작했다. 원래 옆집에 살던 학생인데, 5년 전에 집을 나갔다가 다시 돌아왔더니 가족들은 이미 떠나버렸고, 현재 살고 있는 영감님은 나를 영식이로 착각하고 있다고 아주머니는 차근차근 설명했다. 천천히 아주머니의 설명을 듣던 여자는 고개를 한 번 갸우뚱 거리더니 인상을 찌푸리며 말하였다.

"옆집 아들이라고? 3년 전에 봤던? 얼굴이 다른 것 같은데?"

아무래도 여자가 봤다는 아들은 의붓동생을 가리키는 것 같았다.

"아니. 그 쪽은 학생 남동생이고, 여기 이 학생은 그때 이미 집 나가고 없었지."

"뭐야? 믿어도 되는 거야? 진짜 아들 맞아? 이상한 사람이면 어쩌려고!"

여자는 꽤 신중했다. 나는 이 상황에서 어떻게 하면 내가 그 집 아들이라고 증명할 수 있을지 머리를 곰곰이 굴렸다.

"흐음…. 그리고 보니까 얼굴이 별로 안 닮은 것 같기도 하고."

아주머니는 내 얼굴을 찬찬히 살펴보았다. 그야 안 닮았을 거다. 아주머니가 보았을 사람들은 나와 핏줄 하나 섞이지 않은 새어머니와 의붓동생이니까. 하지만 나는 그 사실까지는 아주머니에게 말하지 않았다. 처음 보는 사이에 굳이 개인적인 가정사를 밝힐 필요가 없다고 생각했기 때문이다.

"음…. 저희 엄마는 인상이 썩 좋은 편은 아니었죠. 어딘가 화나 보이고. 늘 머리는 한 쪽으로 묶고 계셨는데, 키는 아주머니보다는 조금 더 컸던 걸로 기억해요. 남동생은 안경을 쓰고 좀 말랐었어요. 생긴 건

기생오라비 같이 생겨서 성격은 더러웠죠. 말투도 건방지고."

"안 그렇게 생겨서 골목에서 교복 입고 담배 피는 거 보고 깜짝 놀랐단다." 아주머니가 덧붙였다.

"난 반전매력이어서 좋던데⋯." 여자가 속삭였다.

아주머니와 여자의 표정에서 의심이 사라지는 것이 보였다. 가족 사진 한 장 없는 내가 그들의 가족임을 증명하기 위해 빠르게 생각해 낸 이 방법이 꽤 먹혔나보다.

"근데 집은 왜 나간 거예요?" 여자가 물었다.

아주머니는 내 표정을 살폈다. 아마 아주머니도 그 이유가 궁금했 겠지. 나는 잠깐 망설이다가 운을 뗐다.

"엄⋯. 동생이랑 싸워서."

그딴 이유라고? 급격하게 굳은 여자의 표정이 이렇게 말하는 것 같았다. 아주머니도 애써 이해해보려고 노력하는지 입술을 살짝 내 민 채 고개를 끄덕거렸다. 하기야 나 같아도 이런 식으로 대답하면 그 런 반응이 나올 것 같았다. 그러나 복잡한 과거 일을 설명할 이유는 없 었다.

"그럼 5년 만에 다시 집으로 돌아온 이유는?" 여자는 거침없었다.

돈 빌릴라고. 나는 대답을 삼켰다. 아마 이것까지 솔직하게 이야기 한다면 여자와 아주머니는 나를 어떻게 생각할지 안 봐도 뻔했다.

"다시 보고 싶어져서⋯."

나는 말끝을 흐렸다. 거짓말을 했다는 것에 대한 양심의 가책이 가 슴 한 구석에서 여리게 느껴졌다. 그러나 덕분에 여자와 아주머니는 납득이 된다는 듯 표정이 풀리며 고개를 끄덕거렸다. 아마 평범한 가정에서 자란 사람들은 내 사정 따위 들어도 이해 못 할 거다. 겪어봐야 알지. 나는 작게 한숨을 내쉬었다.

아주머니와 다함에게 붙잡혀 한참 그들의 수다를 듣다보니 어느덧 해가 기울어져 있었다. 아주머니는 슬슬 저녁을 준비해야겠다며 자리에서 일어났다. 나는 할아버지의 밥상을 들고 가라는 아주머니의 말에 다함과 함께 거실에 앉아 기다렸다.

"영식 오빠. 그럼 오빠는 대학생이에요?"

다함은 내 이름을 듣고 난 이후에도 나를 '영식 오빠'라고 불렀다. 할아버지가 나를 개로 착각한 것이 인상 깊었던 모양이다.

"아니. 대학은 안 갔어."

"아하. 그럼 뭐하는데요?"

"그냥 서울에서 이것저것 아르바이트 하다가 군대 갔다 왔지. 군대 다녀와서는 아는 형 소개로 회사에 취직했었고."

"오 대박. 그럼 직장인이에요?"

"음…. 근데 그게 조금 복잡해서…. 지금은 아니야. 얼마 전에 관뒀어."

다함은 고개를 끄덕거렸다. 다함은 질문이 많은 편이었지만, 대답에 대해 물고 늘어뜨리지는 않았다. 어느새 대화의 주제는 현재 우리 집 상황으로 흘러갔다. 내 이야기를 귀 기울여 듣던 다함은 잠깐 생각에 잠기는 듯 침묵하더니 곧 입을 열었다.

"할아버지가 오빠가 살던 집의 주인이라면, 할아버지 집에 오빠네

아버지랑 계약한 계약서가 남아있을 수도 있지 않을까요? 저도 자취방 구할 때 집주인이랑 임대차 계약서 썼었는데, 분명 연락처도 썼던 걸로 기억해요. 근데 너무 오래 되어서 없을 수도 있을 것 같고…. 오빠가 중학생 때 옆집으로 이사 왔었다고 했죠?"

임대차 계약서라. 어쩌면 할아버지가 보관하고 있을 수도 있겠다. 그러나 너무 오래 전에 계약했던 지라 가능성은 희박해보였지만 그래도 희망을 걸어볼 만하다는 생각이 들었다. 나는 다함에게 함께 고민해주어 고맙다고 대답했다. 다함은 활짝 웃어보였다. 옆집 아주머니의 막내딸인 다함은 나보다 네 살 어린 동생으로 대구에서 대학교를 다니고 있는데, 주말마다 부모님을 보기 위해 본가로 내려온다고 하였다. 어느덧 아주머니가 만든 저녁이 완성되었다. 나는 밥상을 들고 할아버지 집으로 돌아갔다.

아침부터 나를 깨운 것은 닭 울음소리가 아니었다. 그토록 나를 두렵게 만들었던 사이렌 소리였다. 경찰차 사이렌. 처음에는 내가 꿈을 꾸고 있는 줄 알았다. 꿈속에서는 종종 들렸던 소리였으니까. 그러나 꿈이 아니었다. 어느새 경찰관 두 명이 우리 집에 들이 닥쳐 있었고, 나는 냅다 잠에서 깨어나 상황을 파악하고 있었다. 경찰은 나에게 신분증을 보여줄 것을 요구했다. 기어코 회사에서 나를 고소했구나. 심장이 쿵하고 내려앉았다. 등 뒤로 식은땀이 흘렀다.

"할아버지가 주거 침입 죄로 신고를 하셔 가지구요. 할아버지랑은 어떤 관계죠? 신분 확인 좀 하겠습니다."

신고를 한 사람은 회사가 아니었다. 할아버지였다. 아침에 눈을 뜬 할아버지가 웬 처음 보는 남자가 자신의 집에 와있다면서 경찰에 신고를 한 것이었다. 나는 고개를 두리번거리며 할아버지를 찾았다. 할아버지는 다른 경찰과 대화를 하고 있었다. 할아버지와 대화를 하고 있는 경찰은 난감한 표정을 짓고 있었다.

"할아버지 상태가 좀 이상한데요."

할아버지와 대화를 하던 경찰은 나에게 신분증을 요구하던 경찰에게 다가와 말하였다. 아무래도 할아버지에게 치매 증상이 있는 것 같다고 말하였다. 할아버지는 경찰의 질문에 연신 모른다고 대답을 했다고 한다. 그리고 경찰이 나에 대해 질문을 하자 할아버지가 나를 '영식'이라고 부르며 건들지 말라고 했다고 한다. 그러나 내 앞에 있던 경찰은 여전히 나를 의심스러운 눈빛으로 쳐다봤다. 나는 아무 말도 하지 못 한 채 경찰의 시선을 피하였다.

"할아버지와는 어떤 관계냐고 물었습니다. 왜 아무 대답이 없죠?"

어제부터 자꾸만 이 복잡한 상황에 대해 설명을 해야 하는 순간이 찾아오는 것 같다. 나는 또 어디서부터 설명을 해야 할지 머리를 굴렸다. 그러나 아침부터 머리가 잘 돌아가지 않았다. 그저 경찰의 존재만으로 나는 경직되어버리고 말았다. 경찰은 이미 나를 범죄자로 낙인찍어 내가 무슨 말을 해도 믿지 않을 것 같았다. 경찰은 내가 아무 대답도 하지 못하자 나를 더 의심스러워했다. 경찰은 다른 경찰에게 아무래도 나를 경찰서로 데리고 가서 조사를 해보는 것이 좋겠다고 말하였다. 그때, 마당에서 익숙한 목소리가 들렸다.

"에구머니나! 이게 무슨 일이래."

옆집 아주머니와 다함이었다. 순간 울컥 하며 아래서부터 억눌렸던 감정이 올라오는 것이 느껴졌다. 나는 그러한 감정을 애써 눌러 담으며 내 앞에 있는 경찰의 눈을 똑바로 바라보았다. 경찰차 사이렌 소리를 듣고 찾아온 다함은 상황을 빠르게 종결시켰다. 다함은 마치 어제의 아주머니처럼 내가 누구인지 경찰들에게 차근차근 설명하였다. 그러면서 혹시 나의 가족을 찾을 수 있는 방법은 없는지 덧붙여 질문하였다. 경찰은 난처한 표정을 지었다. 보통 가족이 집을 나가면 가출 신고는 할 수 있는데, 이 경우는 그런 상황은 아니라 애매한 것 같았다. 경찰 중 한 명은 인터넷에 가족 찾는 사이트가 있으니 찾아보라고 조언하였다.

"당장 나가! 우리 영식이 괴롭히지 마!"

다함과 경찰이 대화하는 내내 할아버지는 경찰들을 집에서 내쫓으려고 난리법석을 떨었다. 결국 경찰들은 할아버지에게 거의 등이 떠밀린 채로 집에서 쫓겨났다. 덕분에 나는 괜스레 경찰들이 안쓰러워 보이는 지경까지 이르렀다. 나는 멀어져가는 경찰들의 뒷모습을 바라보았다. 그때 한 경찰이 갑자기 고개를 뒤로 돌렸다. 나는 황급히 시선을 내렸다. 경찰의 시선이 느껴졌다. 뭐지? 왜 쳐다보지? 그러나 경찰은 곧 시선을 거두고 가던 길을 마저 갔다.

한바탕 소동이 벌어지고, 집에 나와 할아버지만 남게 되었다. 나는 할아버지를 바라보았다. 할아버지는 너무나 순진한 어린 아이처럼 마당을 거닐고 있었다. 역시 어제 떠났어야 했는데. 갈 곳 없는 나는 아픈 할아버지를 핑계 삼아 하룻밤 더 이곳에 머물렀다. 갑자기 제정신으로 돌아온 할아버지가 나를 보고 얼마나 놀랐을까? 한시라도 빨리 이 집을 떠나야 한다.

나는 화장대 위에 올려놓았던 사진을 집어 들었다. 어젯밤, 할아버지가 잠든 사이 집안을 뒤지다 발견한 사진이다. 모두가 깊은 잠에 한참 빠져 있을 시각, 나는 다함과 대화를 하며 얻게 된 정보를 통해 임대차 계약서를 찾으려고 시도하였다. 거실과 안방에 있는 서랍들을 다 열어보았지만, 계약서로 보이는 서류는 찾지 못했다. 게다가 남의 집을 함부로 뒤지는 것에 대한 죄책감이 끊임없이 밀려와서 미치는 줄 알았다. 아마 이때 할아버지가 제정신으로 돌아왔다면 나는 정말 도둑으로 오해 받았을 것이다. 아무렴 오해 받아도 마땅할 처지였다. 마지막으로 안방 깊숙한 곳에 있는 눈에 잘 띄지 않는 서랍을 열었을 때, 그곳에는 사진 한 장이 들어있었다. 낡아 헤어진 사진 속에는 젊은 중년의 부부와 중학생 정도로 추정되는 한 남자애가 서있었다. 그리고 사진 한 쪽 귀퉁이에는 사진이 찍힌 날짜가 적혀있었다.

"1982년 9월 28일⋯."

마침 할아버지는 마당에서 돌아와 마루에 앉았다. 나는 할아버지에게 다가갔다. 할아버지는 신문을 잡으려고 하였다. 그전에 내가 먼저 할아버지에게 조심스럽게 사진을 건네었다. 할아버지는 심기를 불편해하며 나를 한 번 바라보더니 사진을 집어 들었다. 할아버지는 사진을 바라보았다. 사진을 바라보는 할아버지의 표정에는 한 치의 미동도 없었다. 할아버지는 사진을 한참동안 바라보았다. 여전히 아무 미동 없는 할아버지의 눈에서 눈물이 한 줄기 흘러나왔다. 사진 위로 눈물이 한 두 방울 떨어졌다. 나는 아무 말 없이 할아버지 옆에 앉았다.

바지 주머니에서 휴대폰을 꺼내었다. 이틀 동안 잠들어있던 휴대폰의 옆구리에 튀어나와있는 버튼을 꾹 눌렀다. 새까맣던 휴대폰 화면에 밝은 빛이 들어왔다. 나는 침을 꿀꺽 삼켰다. 그러나 예상 외로 휴대폰에는 문자 한 통만 남아있었다.

[그래. 3주 남았다.]

나는 안도의 한숨을 내쉬었다. 다행히 여기까지 나를 찾아올 셈은 아닌가보다. 나는 일단 휴대폰으로 인터넷 창을 열어 근처에 갈만한 곳이 있는지 알아보았다. 이 길을 따라 한참을 걸어가면 시내 한 중심에 24시간 찜질방이 있는 것 같았다. 나는 오늘 밤은 이곳에서 묵고 해가 밝아오면 다른 지역으로 가야겠다고 생각하였다. 조금 걷다 보니 버스 정류장이 보였다. 그러나 이미 막차 시간이 끊겼을 터라 나는 지체 없이 발걸음을 옮겼다. 드물게 등장하는 가로등 아래의 밝은 불빛들은 짙은 어둔 밤 속 내 걸음의 나침판이 되어주었다.

요즘은 SNS가 굉장히 잘 발달되어 있다. 이름만 검색해도, 그 사람이 어디에 살고 있는지, 어느 학교에 다니고 있는지, 생일은 언제인지, 대인관계는 어떻게 되는지 등 꽤 많은 정보를 얻을 수 있다. 의붓남동생은 부산에 있는 대학교에 입학을 한 것 같았다. 얘는 우리 아버지가 어디로 갔는지 알지 않을까? 물어보고 싶었다. 그러나 이제 와서 아버지의 행방을 묻는 다는 것은 너무 구질구질한 행동이었다. 아마 남동생에게 엄청난 비웃음을 사겠지.

내가 고등학생이 될 무렵 아버지는 우리 집에 한 아주머니를 데리고 왔다. 그리고 아버지는 그 아주머니에게 앞으로 어머니라고 부르라고 하였다. 나의 새로운 어머니는 친어머니와는 달리 눈매가 날카롭고 차가운 인상이었다. 그리고 그 아주머니에게는 나보다 두 살 어린 아들이 있었다. 아버지는 나에게 앞으로 동생을 잘 챙겨주라고 당부하였다. 어떻게 아버지는 나와 단 한 번의 상의도 없이 이런 결정을 내릴 수가 있지? 친어머니가 갑작스런 사고로 죽고 나는 아버지와 함께 시골로 내려왔다. 무뚝뚝한 아버지와 서로의 생사만 확인하며 별다른 대화 없이 지내는 매일이 적막했지만, 차라리 그때가 나았다. 새어머니와 의붓동생 따위 단 한 번도 필요로 한 적 없었다.

동생은 모든 면에 있어서 나보다 뛰어났다. 외모도, 성적도 나무랄 데가 없었다. 나와 달리 아버지에게 말도 잘 걸었다. 동생이 중학교에서 성적표를 가지고 아버지에게 보여줄 때마다 아버지는 여태껏 나에게 보여준 적 없는 미소를 보이며 동생을 칭찬해주었다. 아버지는 진짜 의붓동생을 자신의 아들로 여기는 것 같았다. 처음엔 나도 저런 엄친아 같은 사람이 실제로 존재하구나라고 생각했다. 동생이 몰래 아버지 지갑에 손을 대는 것을 보기 전에는.

동생이 고등학생이 되고 나와 같은 고등학교에 다니게 되면서 사건은 터졌다. 학교에 입학하자마자 인기와 사랑을 독차지 하던 동생이 어느 날 나와 의붓 형제 관계라는 소문이 학교에 퍼졌다. 나는 별로 신경을 안 썼는데, 동생한테는 그 소문이 꽤나 타격으로 다가왔나 보다. 보아하니 어떤 후배들이 아버지가 없다는 사실을 이용하여 동생을 괴롭힌 것 같았다. 동생은 화풀이 대상을 나에게로 돌렸다. 동생은 내가 소문을 냈다고 단단히 오해했다. 원래도 뒤에서 은근슬쩍 나를 무시하는 태도로 대했던 동생은 그날 이후로 나에게 대놓고 시비를 걸기 시작했다. 아버지 지갑에 손대는 것도 눈 감아줬더니, 점점 정도가 심해지자 나도 더 이상 참을 수가 없었다. 그렇게 집구석에서 한참을 동생과 부대끼고 싸우던 중 아버지가 나타났다….

'일하던 회사에서 억울한 일을 당했습니다. 도와주세요.'

나 같은 사람이 여기도 있나보네. 동생의 SNS를 구경하면서 나도 모르게 동생과 있었던 일을 곱씹어버렸다. 그와 동시에 내 손은 무의식적으로 커뮤니티로 넘어가 업로드 된 글들을 하나씩 살펴보고 있다. 그러다 나의 상황을 대변하는 반가운 제목을 발견했다. 동시에 나는 기억의 늪으로부터 벗어났다. 나는 해당 글을 열어보았다. 나는 눈으로 글을 읽으며 천천히 화면을 내렸다. 보아하니 이 사람도 나처럼 회사에서 크게 사기를 당한 것 같았다. 내가 당한 방식과는 달랐지만 어째 유사한 점도 몇 가지 보였다.

'오. 나도 당했는데.' 나는 댓글을 남겼다.

낮인지 저녁인지 구분이 되지 않을 정도로 하늘은 먹구름으로 가득 차 있었다. 나는 가방에서 우산을 꺼내어 폈다. 우산 위로 빗방울들이 투둑 투둑 부딪히는 소리가 들렸다. 할아버지가 사라지시다니. 나는 걸음을 재촉했다.

늦잠을 잤다. 어젯밤 찜질방에서 커뮤니티 글을 둘러보던 중, 나와 비슷한 상황을 겪고 있는 글을 읽고 반가운 마음에 댓글을 달았다가 꽤나 많은 이들의 관심을 받게 되었다. 나는 계속해서 울리는 알림들에 일일이 답을 다느라 잠에 들 시간을 놓쳐버렸다. 난 결국 커뮤니티 알림을 껐다. 그리고 잠깐 눈을 감았다가 뜨니 해가 이미 중천에 떠있었다. 휴대폰에는 SNS 메신저 알림이 하나 와있었다. 옆집 아주머니의 딸이었다.

[오빠. 어디 갔어요? 옆집 할아버지가 집에 없다는데요? 엄마가 전화 좀 달래요.]

아주머니가 아침을 챙겨주러 할아버지 집에 갔을 때, 할아버지가 집에 없었나보다. 아주머니는 나도 없고 할아버지도 없으니 잠깐 같이 외출을 했는가 하고 대수롭지 않게 여겼는데, 점심이 되어도 집에 아무도 없자 혹시나 하는 마음에 다함에게 연락을 부탁한 것이었다. 나는 어젯밤 가로등 아래로 지나갔던 길을 향해 다시금 발걸음을 내딛었다.

"할아버지. 여기서 뭐하세요?"

걱정했던 것이 무색하게 할아버지는 얼마 못가 발견되었다. 할아버지는 버스 정류장에 앉아 있었다. 할아버지의 머리카락과 옷은 젖어있었다. 나는 가방에서 겉옷 하나를 꺼내 할아버지의 어깨에 걸쳐 주었다. 할아버지는 나에게 시선을 주지 않았다. 할아버지는 마치 버스를 기다리기라도 하듯 지나가는 차들만 바라볼 뿐이었다.

"할아버지. 어디로 가시려고요?"

"미국으로 갈 거야."

"미국은 왜요?"

"영식이 보러."

순간 가슴 한편에서 저릿하게 통증이 느껴졌다. 할아버지가 울던 모습이 생각났다. 서랍 속에서 발견했던 가족사진, 역시 영식은 할아버지의 아들인건가? 그렇다면 영식은 지금 미국에 있을지도 모른다. 아니면 이마저도 할아버지의 헛소리라든가.

결국 나간 지 하루도 되지 않아 다시 할아버지 집으로 돌아왔다. 나와 할아버지는 따뜻하게 데워진 전기장판에 몸을 녹였다. 내가 집에 없어서 할아버지도 나간 것인지, 아니면 정말 미국에 있는 영식을 찾으러 나간 것인지 알 수는 없었다. 나는 휴대폰을 꺼내 SNS에 '김영식'을 쳐보았다. 그러나 대략 50대 나이에 미국에 사는 것처럼 보이는 사람은 보이지 않았다. 영어로 이름을 검색해도 마찬가지였다. 나는 한숨을 쉬었다. 한국에서 사람 찾는 것도 어려운데, 미국에 사는 사람을 어떻게 찾는담.

그때, 한 가지 잔상이 머릿속을 스쳐지나갔다. 나는 자리에서 벌떡 일어났다. 나는 거실을 나와 복도로 갔다. 복도에는 늘 할아버지가 읽던 신문이 고이 접혀 있었다. 나는 신문을 폈다. 할아버지가 항상 제일 먼저 펼쳤던 장, 그 장에는 한 기사가 대문짝만하게 실려 있었다.

「미국 펜실베니아 연구소에서 새로운 기술의 역사를 쓴 한국인 '제임스 김'」

사람의 직감으로 확신할 수 있었다. 기사 사진 속에 있는 이 사람, 수십 년 세월의 흔적이 느껴졌지만, 서랍 속에서 찾았던 사진 속 아이와 분명 동일 인물이다. 바로 이 사람이 할아버지의 아들, 영식이다!

그 뒤로 5일의 시간이 흘렀다. 토요일이 되자 다함은 다시 이곳으로 내려왔다. 나는 아직도 집에 안 갔냐고 물어보는 다함에게 그간 있었던 일을 설명했다. 이야기를 듣던 다함의 눈과 입이 한동안 다물어지지를 않았다. 다함은 영식이 개가 아니라 할아버지의 아들이라는 사실에서 1차로 놀랐고, 할아버지의 아들과 통화 내용에서 2차로 놀랐으며, 할아버지의 아들이 곧 한국으로 귀국한다는 사실에 3차로 놀랐다. 영식과의 통화는 실로 쉽지 않았다. 일단, 짧은 영어로 연구소에 전화하여 제임스를 찾는 것까지는 그나마 할 만 했다. 그러나 문제는 그의 태도였다. 한국에 아버지가 있냐는 질문에 그는 아버지와 연을 끊었다며 아버지에 대한 소식은 궁금하지 않다고 딱 잘라 말해버리는 것이다. 그의 완고한 태도에 나는 순간 할 말을 잃었다. 그러나 이 문제를 제대로 해결해 버리지 않으면 결국 나는 또 할아버지 집에 발이 묶여버리고 말 것이다. 나는 최대한 침착하게 상황을 설명했다. 현재 할아버지의 상태와 할아버지가 얼마나 영식을 애타게 찾고 있는지….

제임스는 나와 처지가 비슷한 것 같았다. 그 역시 20대가 되면서 가족으로부터 완전히 독립을 하고 그 뒤로 가족과 연을 끊고 살았다고 했다. 이후에 미국으로 유학까지 가게 되면서 가족들과는 완전히 소식이 끊어진 채로 20년을 보냈다고 한다. 그는 할머니가 돌아가신 사실도 몰랐다. 돌아가신 할머니는 그의 새엄마로 친엄마가 아니었다. 그의 가정 역시 복잡한 사정이 있었는데, 그와 새엄마와의 관계가 그렇게 좋지 않았기에 그에게까지 소식이 닿지 않은 것 같았다. 영식을 애타게 찾고 있다는 할아버지의 이야기를 듣던 그는 한동안 아무 말을 하지 않더니 겨우 입을 열어 말을 할 때는 그의 목이 조금 매여 있는 것 같았다. 그는 아버지가 본인을 그렇게 그리워하고 있는지 몰랐다고 했다. 그러고는 본인이 직접 한국을 찾아가서 아버지를 만나 뵈어야겠다고 그때까지만 아버지와 함께 있어줄 수 있냐고 부탁하였다. 내가 지금 이럴 때가 아닌데…. 그러나 마땅히 갈 곳도 없었다. 어쩌다보니 나의 사정까지 알게 된 그는 나에게 하나 둘 충고하기 시작했다. 본인이 아빠가 되어보니 그제야 아버지의 마음을 조금은 이해할 수 있겠다고, 어른이 되면 달라질 줄 알았는데 몸만 어른에 갇힌 것이지 생각하는 것은 여전히 어린 아이 같다며, 자신은 너무 멀리까지 와버려서 이제는 돌아갈 수가 없지만, 그래도 너는 아직 돌아갈 수 있지 않느냐고 조언했다. 나는 이 이야기까지는 다함에게 하지 않았다.

나에 대해서 얼마나 잘 안다고…. 목 끝까지 올라왔지만 겨우 말을 삼켰다. 의붓동생과 뒤엉켜 싸우고 있을 때 달려온 아버지는 내 편이 아니라 동생의 편을 들었다. 동생은 적극적으로 싸움의 원인 제공자가 나라며 자신을 변호했다. 나는 아무 말도 할 수가 없었다. 그야 평소에 아버지와 대화도 잘 하지 않는데, 감정이 격해져 있는 그때는 더욱더 아버지에게 무슨 말부터 꺼내야 할지 입이 잘 떨어지지 않았다. 아버지는 분명 나에게 기회를 줬다. 내 이야기도 들으려고 했다. 그러나 그 자리에서 겨우 꺼낸 말이 고작 고자질이었다. 나는 동생이 아버지 지갑에 손을 댔다는 사실을 이야기했다. 동생은 아무 말이 없어졌다. 아버지도 이제는 동생에게 실망했겠지. 더 이상 동생을 좋아하지 않겠지. 그렇게 생각했다. 그러나 돌아온 아버지의 대답은 오히려 나를 실망하게 만들었다. 아버지는 이미 알고 있다고 했다. 아버지는 나에게 그러한 사실이 궁금했던 것이 아니라고 했다. 그러면서 아버지는 아직도 동생을 사랑으로 품는 것이 어렵냐고 도리어 나에게 질문했다. 아, 아버지는 핏줄 한 방울 안 섞인 동생이 본인의 돈을 훔치든 말든 핏줄 섞인 나보다 걔를 더 사랑하는구나. 그때부터 이 집을 떠날 날만 손꼽아 기다렸다. 나 같은 거 없어져도 아버지는 아무 신경도 안 쓰겠지. 그렇게 생각했다.

그리고 마침내 집을 떠나는 날, 나는 아버지의 지갑에서 현금을 모조리 훔쳐서 달아났다. 처음에는 동생의 소행으로 뒤집어씌우려는 목적과 동생을 향한 아버지의 반응을 시험하기 위해 한 행동이었다. 그러나 이후 알 수 없는 무언가가 마음 깊은 곳에서부터 피어나기 시작했다. 그것은 곧장 내 마음을 강하게 억눌러댔다. 덕분에 나는 5년 동안이나 아버지에게 돌아가지 못했다. 분명, 의붓동생은 그것만큼은 자신이 한 짓이 아니라고 강하게 하소연했을 텐데 아버지는 동생의 말을 믿었을까? 아마 믿었을 거다. 아버지는 나보다 의붓동생을 더 사랑하니까. 그렇게 생각했다. 그때는.

가출 신고라. 얼마 전 할아버지 집에 들이 닥친 경찰이 했던 말이 생각났다. 그리고 보니 집을 떠나고 몇 주가 지나, 아버지가 나를 성인 가출로 신고했었다. 그러나 그 당시 나는 경찰에게 아버지와 연락할 뜻이 없다고 전하였고, 덕분에 사건은 빠르게 종결되었다. 그것이 바로 5년간 아버지와 나 사이의 처음이자 마지막 연락이었다. 5년 전에 잠깐 스쳐지나간 일이라 아버지가 나를 성인 가출로 신고했었던 사실을 까마득하게 잊고 있었다. 그러나 갑자기 지금 그 사실이 떠올랐다. 어쩌면 아버지도 나를 그리워했던 건가? 영식을 찾는 할아버지처럼 말이다.

"아주머니. 이때까지 감사했습니다."

나는 옆집 아주머니에게 깊은 감사의 뜻을 전했다. 아주머니는 이제 떠나는 것이냐면서 아쉬운 마음을 내비쳤다. 나는 다함에게 안부를 전해달라고 부탁하였다. 아주머니는 내 손에 이것저것 간식들을 쥐여 주었다. 나는 동네를 벗어나기 위해 다시 우리 집 앞을 지나쳤다. 할아버지는 여전히 마루에 앉아서 신문을 읽고 있었다.

"할아버지. 곧 진짜 영식이가 집으로 올 거니까 조금만 기다리세요."

나는 할아버지를 보며 혼자서 중얼거렸다. 그러고는 할아버지를 뒤로 한 채 나는 발걸음을 옮겼다. 그렇게 나는 다시 찜질방에 왔다. 이제 앞으로 어디로 간담. 회사와 약속한 기한도 거의 일주일 밖에 남지 않았다. 할아버지 집에서 몇날 며칠 동안 머리를 싸매며 고민해보았지만 하루아침에 거액의 돈을 마련한다는 것은 사실상 불가능한 일이었다. 사회초년생으로 이미 받을 수 있는 대출도 다 받은 마당에 남은 방법은 사채를 쓰는 것뿐인데 그것만큼은 절대 손대고 싶지 않다. 그냥 도망 가버릴까? 아니면 회사 상대로 한 번 싸워봐? 애초에 내가 잘못한 것도 아닌데. 누군가는 진실을 알아주지 않을까.

드디어 오늘, 제임스가 한국으로 왔다. 아마 지금쯤이면 할아버지 집에 도착했을 것이다. 제임스의 얼굴을 보고 가도 괜찮았겠지만, 뭔가 모를 부담감이 찾아와 나는 일찍이 집을 떠났다. 거의 20년 만에 아들을 찾은 할아버지는 얼마나 감격스러울까? 어떤 대화가 오갈까? 나름 상상의 나래를 펼쳐보려 했지만 그림이 잘 그려지지 않았다. 하기야 나만 해도 내가 아버지를 만났을 때 어떤 광경이 일어날지 전혀 상상이 되지 않는데 말이다. 돈 훔치는 걸로도 모자라서 이제는 대놓고 돈을 빌리려고 왔냐고 아버지는 나를 책망할지도 모른다. 사람이 벼랑 끝에 몰리니까 자존심이고 뭐고 없다. 돌고 돌아 결국 부모를 찾게 된다. 아버지에게 잘못했다고 싹싹 빌어야지…. 나는 베개를 베고 매트 위에 누웠다. 휴대폰에서 진동이 울렸다. 제임스의 전화였다.

- 덕분에 집에 잘 도착했습니다. 그런데, 왜 벌써 가셨어요? 꼭 감사의 뜻을 전하고 싶었는데. 혹시 멀리 안가셨다면 잠깐 만날 수 있을까요?

- 감사 인사는 괜찮습니다. 저야말로 두 분의 만남을 도울 수 있어서 감사하네요.

이런 멘트를 날린 내 자신이 스스로 멋있게 느껴졌다. 나는 코끝을 어루만졌다.

- 그런가요? 사례금도 준비했는데, 아쉽네요. 정말 만날 수 없는 건가요?

사례금이요? 나는 자리에서 벌떡 일어났다. 나는 할아버지 집으로 돌아가기 위해 준비를 서둘렀다. 문 밖을 나서니 바닥이 이른 봄비로 젖어있었다. 얼마 전에도 비가 오더니 날이 점점 풀리고 있나보다. 나는 가방에서 우산을 꺼내어 폈다. 수많은 빗방울들이 내 우산을 미끄럼틀 삼아 힘차게 내려갔다. 드넓게 펼쳐진 황갈색 빛 논밭과 그 사이로 곧게 뻗어있는 가로수길이 눈앞에 나타났다. 며칠 사이 몇 번이나 이 길을 걷는 것인지. 빗방울이 계속해서 떨어졌다. 떨어지는 빗방울

사이로 아버지의 뒷모습이 스쳐 지나갔다. 아마 그때는 내가 중학생이었을 것이다. 아버지와 함께 시내에서 장을 보고 집으로 돌아가는 길이었다. 나는 시선을 아래로 내렸다. 나란히 나열되어 있는 보도블록들이 보였다. 예전에는 시멘트 길이었는데.

성인이 되고, 어느덧 깨달았다. 아버지 딴에는 피 한 방울 섞이지 않은 동생에게 진정한 아버지가 되어주어야 할 의무가 있었을 거라는 걸. 아버지는 새어머니와 재혼하는 동시에 의붓동생을 자신의 아들로 입양한 것이나 마찬가지니까. 그러나 과거에는 이해하지 못했다. 내 입장이 더 중요했기 때문이다. 내가 사랑받는 것이 더 중요해서 아버지의 상황도 동생의 마음도 이해할 생각을 전혀 하지 않았다.

"준우야!"

나는 우두커니 멈춰 섰다. 그새 빗줄기는 얇아지고 먹구름들 사이로 햇빛이 드리우고 있었다. 나는 들고 있던 우산을 천천히 아래로 내렸다. 작은 빗방울들이 하나 둘 내 얼굴을 적셨다. 나는 고개를 들어 소리가 난 곳을 바라보았다. 버스 정류장 앞에 익숙한 얼굴이 보였다. 그 얼굴의 주인은, 5년 전이나 지금이나 별 차이가 없는, 그러나 어딘가 수척해 보이는, 내가 돌고 돌아 결국 찾으러 간, 그러나 집에는 없었던, 아버지였다.

"아들아 미안하다."

아버지가 왜 여기에? 내가 여기에 있는지 어떻게 알고? 내가 여기 있는 것을 알고 찾아 온 건가? 그냥 우연인가? 갑작스러운 만남에 수많은 질문들이 내 안에서 솟구쳤다. 아니, 그 전에 아버지를 만나면 꼭 해야 할 말이 있었다. 나는 힘겹게 입을 뗐다.

"어…. 그게…. 아버지 죄송…."

그러나 말을 끝까지 이을 수 없었다. 아버지의 거친 손이 나를 끌어 안았기 때문이다. 아버지의 온기가 느껴졌다. 몸에서 힘이 빠졌다. 내 눈에서 뜨거운 물방울이 뚜욱 뚜욱 떨어지기 시작했다. 떨어진 물방울들은 어느새 아버지의 등을 적시고 있었다.

아버지에게 궁금한 것이 많았다. 내가 그때 돈을 훔친 범인인 것은 알아챘는지, 나에게 실망을 많이 했는지, 가출 신고는 어떤 이유로 했던 건지, 아버지는 도대체 어디로 갔던 것인지, 새어머니와 의붓동생은 어떻게 된 건지, 그간 어디서 무얼 하고 지냈는지 묻고 싶었다. 그러나 이제는 아무래도 상관없다. 어쨌든 지금 아버지가 나와 함께 있다. 아버지가 나를 안아주고 있다. 그걸로 됐다. 나는 그간 있었던 일들을 아버지에게 하나 둘 털어놓기 시작했다. 처음이었다. 이렇게 아버지에게 내 이야기를 솔직하게 들려준 것은. 5년이라는 공백기가 나를 이렇게 만들어 준걸까? 아니면 도대체 무엇이? 5년 만에 만난 아들이 복잡한 돈 문제에 얽혀 돌아왔음에 아버지는 적잖이 놀란 표정을 지어 보였다. 아버지는 나를 찾아온 것을 후회하실까? 그러나 아버지는 아무 말 없이 내 손을 꼭 잡아주었다.

한 달 전, 한 뉴스가 온 국민을 분노하게 만들었다. 불법으로 사업을 하던 한 회사가 젊은 20대 청년들을 대상으로 사기를 쳐서 돈을 모은다는 것이었다. 녀석들의 수법은 다양했다. 그리고 그 중에 내가 당한 방법은 누명을 씌워 돈을 갚게 만드는 수법이었고, 예상 했던 대로 나에게 접근했던 형 역시 회사와 한 통속이었다. 처음부터 형은 목적을 가지고 나에게 접근한 것이었다. 이러한 녀석들의 만행은 나와 같이 사기를 당한 한 청년이 인터넷 커뮤니티에 글을 올리면서 드러나기 시작했다. 바로 내가 찜질방에서 읽고 댓글을 달았던 그 글이다. 그날 이후 나 외에도 유사한 사례를 가진 사람들이 등장했다. 잠깐 알림을 꺼둔 사이, 내 댓글은 물론이고 온 게시판이 그와 관련된 글들로 뜨겁게 달아올라 있었다. 그러면서 한 방송국에서 이를 주제로 취재를 나서게 된 것이다. 덕분에 회사 관계자들은 현재 재판 대에 올라가 있다.

"이번에는 참고인으로 조사 받는다고?"

아버지가 물었다. 나는 고개를 끄덕거렸다. 거의 한 달 만에 이 동네로 내려왔다. 그간 방송국의 취재에 응하고 경찰의 조사를 받느라 정신이 없었다. 그러다 잠깐 시간이 나서 서울에 올라가기 전에 아버지와 함께 이 동네를 찾아왔다. 꼭 감사한 마음을 전해야 할 사람들이 있었기 때문이다. 먼저는, 이 동네를 관할하고 있는 지구대로 향했다. 예전에 할아버지 집에 들이 닥쳤던 경찰들이 근무하는 곳이다. 그 경찰들 중 한명이 아버지에게 내 소식을 전하였다. 내가 집을 떠나고 아버지가 가출 신고를 하러 지구대로 갔을 때, 아버지의 간절함이 경찰의 마음속 깊은 곳에 자리 잡았었나보다. 할아버지 집에서 나를 보았던 경찰은 혹시나 하는 마음에 지구대에 돌아가 5년 전 신고 내역을 찾아보았고, 신고 내역을 발견한 경찰은 아버지에게 연락하여 나의 근황과 함께 연락처 공유 의사를 물어보았다. 과거에 이 사건은 내가 연락을 거절하면서 종결되어 경찰이 더 이상 상관하지 않아도 될 일인데, 기꺼이 수고로움을 감당해 준 경찰에게 우리는 배가 한가득 담긴 상자를 들고 찾아갔다.

다음은 옆집 아주머니네로 갔다. 옆집 아주머니는 나를 보자마자 반가운 기색을 보였다. 나는 그제야 아주머니에게 이제껏 숨겼던 사실들을 낱낱이 이야기해주었다. 사실 그때 보았던 가족들은 나의 새어머니와 의붓동생이었고, 지금은 아버지와 새어머니가 이혼하며 남이 된 것까지도 굳이 알려주었다. 그 이유가 새어머니의 외도 때문이라는 사실은 숨겼지만 말이다. 남에게 관심 많은 아주머니는 꽤나 흥미진진하게 우리들의 이야기를 경청하였다. 그러나 무엇보다도 아주머니는 나를 격려하길 원했다. 잘 돌아왔다고, 아무리 그래도 자식 없이 살 수 있는 부모는 없다며 아주머니는 말하였다. 나는 멋쩍게 웃었다.

"다함이는요?"

일부러 다함이 있을 토요일에 내려왔는데 다함이 보이지 않았다. 아주머니는 아마 곧 올 거라고 대답했다. 아주머니는 할아버지의 소식도 들려주었다. 할아버지는 여전히 제임스를 알아보지 못한다고 했다. 아무래도 할아버지 기억 속 영식은 20대에 머물러있기 때문이 아닐까라고 나는 생각했다. 그래서 나를 더욱 영식으로 착각했겠지. 제임스는 아예 한국에 정착하여 할아버지와 살 계획이라는 것 같았다. 나는 마지막으로 할아버지를 만나러 가기 위해 자리에서 일어났다. 마침 대문 앞에 다함이 서있었다.

"어, 다함아!"

나는 반가운 마음에 다함을 불렀다. 그러나 다함은 나에게 눈길도 주지 않은 채 어느 한 곳을 바라보고 있었다. 다함은 약간 흥분된 채로 감탄사를 연신 내뱉었다. 나도 시선을 돌려 다함이 바라보는 곳을 바라보았다. 그곳은 여기에서 열 발 자국 떨어진 곳, 바로 할아버지의 집 앞이었다. 그리고 거기에는 웬 커다란 개 한 마리가 서있었다. **꽤나 꼬질 하고 야윈 모습으로 있는,**

"영식아!"

영식이었다.

육포 광기 자랑

이지민

이지민 천방지축 어리둥절 빙글빙글 돌아가는 나의 하루는 남들과는 달라 멀
리서 지켜봤을 때, 재미가 보장되어 있다. 평소의 나는 계획적으로 움
직이기 보다는 즉흥적인 행동이 많다. 그렇지만 계획적으로 움직여야
하거나, 공적인 일을 수행할 때는 완벽주의적인 성격으로 최선을 다해
행동해서 좌우균형이 맞는 편이다. 즉흥적인 아이디어가 잘 생각나는
편이라 추진력이 은근히 있고, 생각이 다양해 어떠한 결정을 해야 하
는 상황에서 여러 가지 관점으로 바라볼 수 있다.

인스타그램: @j_mini_00

옛날부터 고기를 오래 보존하기 위해 고안된 가장 기초적인 방법 이자, 중세부터 현대까지 군대의 전투식량으로 쓰일 만큼 간편한 휴 대성과 든든한 고열량을 자랑하는 음식, 가격이 미친 게 아닌가 싶으 면서도 막상 만드는 과정을 생각하면 그리 비싼 건 아닌 거 같다고 생 각되는 현대인들의 사치품이자 소모품이자 먹거리, 그 이름은 바로 육포다. 그리고 나는 그 육포를 좋아한다. 살아가면서 갑자기 삶이 무 기력하게 느껴질 때, 씹을 만한 간식거리가 필요할 때, 밥을 먹을 시간 이 없을 때, 그냥 먹고 싶을 때, 나는 늘 육포를 선택했다. 물론 생활필 수품은 아니기에 가끔은 '사지 말까?'라는 고민도 하고, 가격이 부담 될 때도 있어 육포를 사지 않기 위해 '그냥 카드를 잘라버릴까?'라는 생각도 하지만, 나는 삼성페이를 쓰기 때문에 차마 휴대폰을 자를 수 는 없어 하는 수 없이 틈날 때마다 육포를 사게 된다. 아니다. 굳이 부 정하지 않겠다. 카드는 핑계고, 그냥 내가 먹고 싶은 간식이다. 아마 살면서 육포 한 번쯤은 질겅질겅 씹어봤을 것이기에 육포의 매력이 어떤 것인지는 다들 알거라 생각된다. 그런데, 나는 좀 많이, 특별하게 씹어왔었기에 보존 가치가 있는 내 경험을 후대를 위해 기록을 하고자 한다.

내가 육포를 좋아하는 것은 주변 사람들과 가족들이 인정하지만, 처음 내가 육포에 빠지게 된 계기는 나와 친누나의 의견 대립이 있다.

내 기억으로는 초등학교 2학년 어느 날, 슈퍼에서 살 과자를 고르고 있었는데, 우연히 옷걸이같이 생긴 거치대에 육포와 말린 오징어가 전시된 것을 보게 되었다. 말린 오징어는 예전에 먹어봐서 맛을 알았지만, 육포는 먹어보지 못했다. 따라서 어떤 맛인지 탐구해 보고자 당시 내 한 달 용돈이었던 만원 중 큰맘 먹고 거금 이천오백 원을 써서 "질러 육포"를 샀다. 조심스레 포장지를 열었을 때, 난 실망을 감추지 못했다. 포장지는 분명 길고 커다랬는데, 포장지 안에 작고, 튼튼한 진공 포장지로 포장이 한 번 더 되어 있었고, 투명하게 비치는 내용물을 봤을 때는 작은 조각들이 한 6~7개 밖에 없어 벼룩의 간 정도 되는 양에 한 번 더 실망했다. 그렇지만 그 당시 용돈의 4분의 1이라는 거금을 들여 산 육포, 포장지까지 뜯었으니 이제는 돌이킬 수가 없었다.

그렇게 처음으로 육포를 내 입 안에 넣었을 때, 예상치 못한 감각들이 마구마구 생겨났고 곧바로 내 뇌로 전이되었다. 그 이유는 바로 매우 매우 내 취향이었기 때문이다. 적당히 달짝지근하게 만들어진 양념이 고기의 감칠맛과 어우러져 씹었을 때는 환상의 맛이 느껴졌고, 바싹 건조된 것과 아주 촉촉한 것 그사이의 단계로 고기가 건조되어 이빨에는 오묘한 식감이 있었으며, 부드럽게 넘어간 육포는 목구

명에 여운을 주어 계속 먹고 싶게 만드는 마성의 매력이 느껴졌다. 물론 육포 조각이 이빨에 끼어버리는 건 조금 불편하긴 했지만, 다른 과자와 비교할 수 없는 색다른 매력이 있었기에 충분히 용인했다. 그러나 육포를 처음부터 좋아했다는 내 의견에 거부권을 행사하는 사람이 있었으니, 바로 아까 언급했던 친누나였다.

친누나의 의견은 좀 다르다. 초등학생 시절, 기나긴 시간을 인내하여 여름방학과 겨울방학이 찾아오면, 나와 누나는 갈아입을 옷과 평소에 꾸덕꾸덕 아끼고 모아 둔 용돈을 가지고 3일에서 5일 정도의 기간으로 이모의 집에 놀러 갔었다. 나는 거기서 가장 막내였는데, 친누나 1명에 친척 누나 2명까지 내 위로 누나가 3명이 있어 같은 성별에서 나오는 유대감은 찾기 어려웠지만, 그 이상으로 누나들이 잘 놀아주었기에 별 탈 없이 지냈었다. 그러나 그때 나에게 한 가지 고민거리가 있었다고 했다. 이모의 집에는 키우는 강아지가 있었는데, 내가 이 집에서 서열이 꼴찌라는 것을 강아지가 알아서 그런지 나에게는 일절 관심도 주지 않았다고 했다. 그러던 어느 날, 우연히 친척 누나가 강아지에게 간식을 먹이는 걸 보게 되었고, 난 그 간식이 고기로 만들어졌다는 것을 알게 되었다고 했다. 강아지의 간식을 보게 된 다음 날, 누나와 나는 각자 슈퍼에서 일용할 간식을 찾고 있었는데, 마침 강아지가 어제 먹었던 간식과 비슷한 모습의 과자가 내 눈에 띄었고, 그 과자가 바로 육포였다. 나는 혹시나 해서 육포를 샀고, 조금씩 뜯어서 강아지에게 주자, 잠깐이지만 강아지가 나를 엄청나게 따르는 모습이 마음에 든 나머지, 이후로 이모네 집에 갈 때마다 강아지의 환심을 사기 위해 육포를 사서 강아지에게 먹이다가 나 또한 육포를 먹는 게 습관이 되었고, 그렇게 육포에 빠져들게 되었다고 나의 친누나가 이야기하고 있다.

생각해 보면 누나의 말이 전부 다 틀린 말은 아니긴 하다. 내 오래된 기억을 더듬어봤을 때, 실제로 이모네 집 강아지는 누나들보다 나에게 관심을 주지 않았던 건 맞았고, 가끔 강아지에게 육포를 간식으로 준 적도 여러 번 있었다. 그러나 중요한 점은, 나는 강아지에게 육포를 주기 전부터 육포의 맛을 알고 있었다는 것이다. 이모네 집에 놀러 갈 때는 용돈을 많이 들고 갔었기에 육포를 사는 것도 평소보다 부담이 덜해 자주 사 먹었던 것이었고, 우연히 강아지도 육포를 먹을 수 있다는 것을 알게 된 뒤 이모의 허락을 받아 강아지에게 줬을 때 꽤 잘 먹는다는 것을 알게 된 것 그 이상도 그 이하도 아니었다.

사실 내가 육포를 좋아하게 된 과거가 뭐가 중요한가, 내가 지금 당장 육포를 좋아한다는 것이 중요할 뿐이다. 그렇지 않은가? 내가 좋아하는 사람이 좋아진 이유도 물론 중요하긴 하지만 지금 당장 그 사람을 좋아한다는 사실이 더 중요하고, 그 사실 때문에 그 사람을 생각만 해도 떨리고, 만날 생각만 하면 가슴이 두근+두근 뛰어 총합 네 근이 나를 설레게 만드는 것처럼 말이다. 물론 모든 육포를 좋아하는 것은 아니다. 육포에 환장하는 나에게도 호불호가 갈리는 육포가 있는데, 그중에서 가장 싫어하는 육포는 첫 번째로 매운맛이 첨가된 육포다.

이 이야기를 꺼내기 위해서는 잠시 나의 갓난아기 시절로 돌아가야 한다. 왜냐하면 나는 태생적으로 매운맛을 견디지 못하는 속성으로 태어났기 때문이다. 예시로 어렸을 적 매운맛에 대한 경험치도 없던 시절에는 떡볶이나 곱창 같은 매운 음식을 먹게 된다면 세 입 이후부터는 물 없이 도저히 먹을 수 없었고, 물과 같이 먹어도 끝내 10번을 넘기지 못했다. 그래도 정 먹고 싶었을 때는 물에 씻어 먹거나, 물배를 채울 각오를 하며 한 입 먹고 물 1리터를 먹어댔다. 물론 지금은 순하게 매운 떡볶이는 참고 먹을 수 있는 어른으로 성장하긴 했지만, 그 이상의 레벨로 올라가면 여전히 먹지 못하기에 난 매운맛에 부담감을 늘 가지고 있다.

무엇보다 내 입맛에는 매운맛이 육포와 전혀 안 어울리는 것 같다. 매운맛도, 맛있게 매운맛은 혀가 얼얼한 고통을 참아가며 먹는 것처럼, 매운 육포도 그러한 매력이 있다면 나도 매운맛을 참아볼 의향이 있다. 그러나 육포의 장점 중 하나는 간편하고, 간단하게 씹으면서 즐길 수 있는 기호식품이라는 점인데, 매운맛이 들어가게 된다면 반드시 캡사이신을 중화시켜 줄 우유나 물 같은 식품이 추가로 필요해지니 간단하게 즐길 수 없게 되어 육포의 매력을 반감시키게 된다. 또한 말린 고기의 감칠맛에는 매운맛이 별로 어울리지 않는 것 같고, 어쩌다 먹게 되더라도 경우에 따라서는 손에 시뻘건 고추기름까지 묻게 되어 손을 닦기 위해 물티슈가 필요하게 되니 매운맛이 들어간 육포는 여간 불편한 점이 너무 많다. 그렇기에 내가 매운 육포를 먹게 되는 경우는 급하게 육포를 먹고 싶은데 근처 편의점에 매운 육포만 남은 경우, 매운 육포의 신상이 나왔을 때, '따끈따끈한 신상이니까 다른 매운 육포와는 다르게 내 취향에 맞을 수도 있지 않을까?'라는 약간의 기대를 하며 돈을 낭비할 각오를 하고 사는 경우, 친구가 매운 육포를 선물해 주는 경우 정도밖에 없다.

그러나 놀랍게도 매운 육포보다 더 싫어하는 육포가 있는데, 바로 두 번째 대상인 치즈가 들어간 육포다. 사람들은 매운맛과 느끼한 맛, 둘 중 하나를 좋아하거나 둘 다 좋아하기 마련이다. 심지어 두 가지 맛의 궁합도 좋다. 매운맛이 입을 자극해 혀가 얼얼할 때, 느끼한 맛의 대명사인 유제품에 들어있는 단백질과 카제인이라는 성분이 우리가 매운맛을 느끼게 하는 원인인 캡사이신을 분해하는 효과가 있어 매운맛을 중화시키는 데 효과적이다. 또한 피자나 카르보나라 스파게티 같은 느끼한 음식을 먹다가 물려서 더 이상 못 먹을 때, 얼얼한 매운맛이 니글니글해져 버린 혀와 위를 중화시켜 주기에 사람들에게 늘 사랑받아 온 아주 환상의 조합이라 할 수 있다. 하지만 난 싫어한다. 두 개를 같이 먹는 것은 더더욱 싫어한다.

느끼한 음식은 한 입만 먹어도 바로 물리고, 토할 정도로 속이 부글부글해 그날의 컨디션을 망쳐버리기 때문에 나는 늘 느끼한 음식을 피해 왔다. 학창 시절에 어쩌다 급식으로 수프나 카르보나라 스파게티가 나올 때는 점심을 굶더라도 처음부터 음식을 받지 않았으며, 어쩔 수 없이 받게 된 경우에는 친구들에게 모조리 양보했을 정도로 느끼한 음식을 절대 먹지 않았다. 로제 떡볶이, 로제 파스타는 그나마 먹을 순 있지만 이 역시 늘 세 입을 넘지 못한다. 그렇기에 치즈가 들어간 육포는 상상하기도 싫고, 맛을 보는 것은 더더욱 싫다. 물론 당연히 먹어봤다. '혹시 몰라, 의외로 맛있을 수도 있어'라는 일말의 기대를 했지만, 기대는 기대일 뿐, 새로 나온 신상 매운 육포처럼 내 희망은 실현되지 않았다.

정리한 대로, 나는 매운맛과 느끼한 맛에 약하다. 그러나 누군가가 나에게 시련을 주고자 매운 육포와 느끼한 육포, 둘 중 하나는 반드시 먹어야 한다고 강요한다면, 난 열 번의 상황이 주어지더라도, 매운 육포를 고를 것이다. 매운맛은 참을 수라도 있지 느끼한 맛은 도저히 참을 수 없기 때문에, 질겅질겅 매운 육포를 먹으며 캡사이신에 혀가 뽑혀 죽더라도 선택받지 못한 느끼한 육포를 다시는 내 눈에 띄지 않도록 봄철 편서풍에 태워 저기 머나먼 미국으로 이민시킬 것이다. 물론 그 외의 육포는 매일매일 사랑하니까 다른 육포들은 너무 긴장하지 않아도 된다.

누군가는 내 입맛이 고집불통이고, 까탈스럽다고 생각할 수 있다. 사실 맞다. 내 입맛은 생각보다 까다롭다. 하지만 그렇기에 육포를 더더욱 사랑할 수 있다면, 난 기꺼이 받아들이겠다. 육포를 자주 먹지는 않았지만, 평범한 날이 아닌 날, 늘 나와 함께였기에 애정이 가득하다. 그리고 그 평범한 날이 아닌 날 중, 교회가 최소 30%의 비중을 차지한다고 장담할 수 있다.

내가 6살 때, 먼저 교회를 다니고 있던 누나가 나를 전도했고, 덕분에 일요일 아침만 되면 자연스럽게 누나를 따라 교회를 다니게 되었다. 모태신앙은 아니지만 자아가 성장하는 시기에 늘 교회와 함께였기에 유사 모태신앙이라고 할 수도 있겠다. 물론 지금은 건강도 좋지 않고, 여러 복잡한 개인 사정이 있어 현생에 치인 나머지 교회를 다니지는 않고 있다. 우리 교회는 다른 교회에 비해 정말 다양한 활동을 했었는데, 정말 내가 못 해본 교회 활동이 없다고 장담할 수 있다.

초등학생이 되기 전, 즉 내가 7살 때, 크리스마스를 맞이해 성탄절 공연이 있었는데, 나는 거기서 두 살 어린 아는 동생과 함께 새하얀 양 옷을 입으며 무대 위로 올라갔었다. 이를 위해 일주일 전부터 교회에 매일매일 방문했던 기억이 있다. 나의 다양한 경험은 8살인가 9살 때부터 본격적이었는데, 초등학생 때에 정말 웃음과 재미, 눈물 없이는 들을 수 없는 많은 이야기와 사연이 있지만, 이 이야기를 한다면 논점에서 벗어나게 되므로 눈물을 머금고 오늘은 중학생 때의 이야기로 건너뛰겠다.

중학생 때 우리 교회는 여름방학, 겨울방학마다 외부 수련회에 적극 참가하게 되었는데, 갈 때마다 나는 고난에 시달려야 했다. 휴대폰도 수련회 도착 즉시 거둬버려 힘들긴 했지만, 가는 곳이 대부분 산골짜기에 있어 외부와의 교류가 원천 차단되었기에 주변의 편의점이나 슈퍼에 갈 수 없는 상황이 나를 힘들게 했다. 혹여나 매점이 있더라도 선생님 왈 "각자 돈을 들고 오는 양이 다른데, 원하는 대로 사 먹는다면 형평성에 어긋난다."라고 늘 말씀하시는 바람에 돈을 아무리 두둑이 들고 오더라도 선생님이 말한 금액 이상으로 사지도 못했다. 물론 선생님들이 어느 정도의 간식을 제공해 주시긴 했지만, 사람마다 선호하는 간식이 달라 모두를 만족시키지는 못했을뿐더러, 절대적인 양도 부족했던 것으로 기억한다. 무엇보다 평상시 군것질이 필요한 청소년에게 내가 원하는 간식을 원하는 만큼 살 수도 없고, 먹을 수도 없는 상황이 주어졌으니, 간식에 대한 결핍이 생겨 평상시에 잘 먹지도 않는 젤리마저 그리워하게 되는 상황이 발생하게 되었다. 그렇게 2년간 간식 때문에 고통을 받은 나는 중학교 2학년 겨울 방학 수련회가 끝나고 집에 돌아가면서 '다음 수련회부터는 절대 간식 때문에 스트레스를 받지 않겠다.'라고 다짐, 또 다짐하였다. 그리고 이 다짐을 지키기 위해 2년간, 총 4번에 걸쳐 얻은 빅데이터를 머릿속으로 분석한 결과, 선생님들이 가방 검사까지는 하지 않는다는 점에서 착안해 선생님 몰래 간식을 싸서 가기로 결심했다.

그렇게 나의 중학교 3학년 여름방학 수련회가 찾아오게 되었다. 나는 수련회에서 먹을 간식을 사기 위해 마트로 갔는데, 난 당연히 챙겨야 할 간식 1순위로 육포를 선택했다. 육포는 부피가 작아 많이 챙길 수 있었으며, 변형이 되지 않고, 틈이 있으면 틈을 비집고 챙길 수 있었으며, 냄새를 제외하면 그 어떤 흔적도 남지 않는 간식이었기에 몰래 챙겨가는 물건으로써는 최적의 제품이었다. 물론 특별한 날 먹을 때 내가 가장 맛있어하는 간식이기도 했다. 추가 간식으로는 쌀과자를 골랐다. 모든 간식을 챙길 수는 없었고, 가뜩이나 육포를 산 상황이라 큰 비용을 쓸 수도 없었으며, 수련회로 이동하는 도중에 발생하는 여러 충격에도 잘 깨지지 않고 버틸 수 있어야 했기에 이 조건을 모두 만족하는 제품으로 쌀과자를 선택한 것이었다. 나는 출발 하루

전, 짐을 싸면서 가방 가장 아래쪽에 쌀과자를 일렬로 배치한 뒤, 쌀과자의 윗면을 육포로 덮고, 그 위로 옷가지들을 두어 완벽히 은닉했다. 그렇게 가방의 3분의 1을 군것질거리로 준비한 내 작전은 선생님들이 알아차리지 못해 성공적이었으며 같이 온 교회 친구들과 형, 동생들은 나의 간식을 보자, 하나같이 나를 미친놈으로 취급했다. 내가 애지중지 안전하게 챙겨온 간식은 중간중간 챙겨 먹으며 바쁜 수련회의 일정을 견딜 수 있는 귀한 에너지원이 되었고, 밤에는 육포와 쌀과자를 함께 나눠 먹었는데, 간식을 먹으면서 남정네들끼리 하는 여러 이야기와 가끔 나오는 헛소리가 묘한 재미를 일으켜 즐겁게 웃을 수 있었다. 무엇보다 언제든지 내가 싸 온 간식을 먹을 수 있다는 사실이 간식에 대한 결핍을 줄게 만들어 결핍에서 발생하는 스트레스까지 해결할 수 있었다.

성공적인 수련회를 보낸 나는 조금 더 즐겁게 보내고자 겨울 방학 수련회에 갈 때, 여름방학 수련회의 피드백을 반영해 메인 간식인 육포와 쌀과자를 유지하되, 좀 더 다양한 간식을 싸 가기로 했다. 그렇게 내가 챙겨간 간식은 대형 육포 3개, 조미김 하나, 쌀 과자 한 묶음, 라면 1봉지, 초콜릿, 작은 알로에 음료수, 젤리, 껌 한 통으로 늘어나게 되었다. 운이 좋은 건지는 모르겠지만, 이번 겨울 수련회는 활동 중간마다 주는 간식도 제법 있어서 내가 싸 온 간식의 의존도가 많이 줄어들게 되어 생각보다 많은 간식이 남게 되었다. 그렇지만 어떻게든 내 간식은 소모될 운명이었다. 이튿날, 정보가 새어 나갔는지 나에게 간식이 있단 소문이 여자 숙소에도 전해졌고, 간식을 조금 줄 수 있냐는 친구의 요청을 받아 통 크게 남은 간식의 절반, 가져온 간식의 3분의 1을 나눠주었다. 아직도 친구가 나에게 대형 육포와 쌀과자를 받았을 때, "와... 미친놈"이라 말하며 당황하는 모습이 잊히지 않는다. 비록 간식을 챙겨오기 위해 어느 정도의 지출은 감당해야 했지만, 수련회를 하는 동안 간식 덕분에 편안하게 즐길 수 있었으니 난 매우 만족했다.

물론 늘 같은 방식으로 육포를 즐긴 건 아니다. 내가 18살에 수련회를 할 때는 육포를 조금 다르게 즐겼다. 전 세계 사람들을 공포에 떨게 만들고, 우리나라가 한창 사회적 거리 두기를 하던 코로나바이러스 시절, 우리 교회는 선생님들의 주도로 온라인 수련회에 참석했다. 난 코로나 중에는 수련회를 하지 않을 줄 알았는데, 온라인 참여 소식을 듣자 '진짜 우리 교회는 뭘 참여하는 걸 정말 좋아하네.'라는 생각을 수없이 했었다. 심지어 집에서 들으면 제대로 듣지 않을 거 같다는 선생님의 우려 덕분에 명색은 온라인이지만, 질병관리청의 사회적 거리 두기 방침을 철저히 지키면서 교회에 모여 듣는다는 소식을 듣자, 참 엄청난 감정이 들었었다. 어렸을 적의 나였다면 선생님의 결정을 곧이곧대로 따랐을지 모르겠지만, 나이를 먹어가서 그런지 수련회가 정말 귀찮아진 것도 있고, 온라인 수련회를 이런 방식으로 듣는 건 아무리 생각해도 뭔가 이상했다. 생각이 정리되자, 나는 선생님께 "시국이 시국인지라, 온라인 수련회의 취지대로 집에서 각자 보는 게 어떨까요?"라고 주장을 했고, 의외로 쉽게 수용이 되어 집에서 볼지, 교회에서 볼지 각자 원하는 방식을 선택할 수 있게 되었다. 그러나 나는 청소년부 회장이었기에 선생님이 다른 사람은 몰라도 내가 집에서 보는 거는 수용하지 않으셨다. 덕분에 나는 교회에서 온라인 수련회에 참석해야 했다. 물론 다음 온라인 수련회에는 더 강력한 주장을 하여 나도 집에서 볼 수 있게 되었다.

아무튼 온라인 수련회의 시작을 기다리기까지 약 3시간 30분 정도 남은 시점, 내 옆에는 같이 듣는 동생들이 3명 있었는데, 기다리면서 보드게임도 하고, 여러 수다도 떨다가 영화 이야기가 나왔다. 뭐에 홀린 건지 우리는 영화를 보기로 했고, 노트북을 하나 가져온 뒤, 커튼을 쳐서 어두운 분위기까지 만들었다. 다만 간식이 없어서 아쉬운 상황이었는데, 그 문제는 내가 해결할 수 있었다. 나는 교회에 올 때 챙겨야 할 게 있어서 책가방을 가져왔었기에 가방의 비상 간식을 꺼냈다. 사실 말이 비상 간식이지 두 끼는 해결할 수 있는 분량의 간식이 내장되어 있었다. 육포 두 개와 쫄병 과자 두 개, 어포, 에너지드링크까지 없는 게 없었기 때문이다. 그렇게 우리는 수련회 시작까지 남은 시간 동안 영화를 봤고, 시작 시간이 다 되자 우리는 그 노트북으로 마저 온라인 수련회에 참가하였다. 비록 비상 간식이었던 두 개의 육포를 다 먹어버리긴 했지만, 재미있게 즐겼고, 맛있게 먹었으니 나는 매우 만족했다.

이 외에도 내가 육포에 애정을 갖게 된 이유에는 여러 가지가 있는데, 다양한 이유 중 단순한 이유를 꼽자면 여행이 있다. 우리 가족은 경기도에 살고 있고, 우리 가족의 외갓집은 전라도에 있어 명절 및 각종 경조사를 이유로 외갓집에 갈 때는 주로 고속버스를 이용했다. 고속버스는 편하고, 쉽게 이용할 수 있었지만, 화장실을 제때제때 갈 수 없었다는 것이 한 가지 문제점이었다. 심지어 명절에는 고속도로가 막히는 것을 고려해야 했기에, 물이나 음료수를 함부로 먹을 수 없으며, 이러한 이유로 많이 먹으면 목이 막히는 밀가루 과자까지 극히 제한되었다. 이때 내가 마음 놓고 먹을 수 있는 간식이 있었으니, 역시 육포였다. 상대적으로 마음껏 먹을 수 있는 육포는 심심한 나의 입을 달래주는 고마운 아군이었다. 나는 장거리를 이동할 때마다 육포를 챙겨갔고, 이번에 가족끼리 외갓집으로 3박4일 여행을 떠났을 때, 미리 간식거리를 준비하고자 쿠팡에서 2만 원어치 육포를 산 뒤, 차에서 쉴 틈 없이 뜯어 먹었다. 그래도 남은 육포는 우리 가족의 술안주가 되었다.

어느 날에는 육포가 나를 위로해 주기도 했는데, 이유를 설명하기 위해서는 고등학교 2학년으로 돌아가야 한다. 여름방학을 마무리하고, 새 학기를 시작하는 개학 날, 갑작스럽게 1교시부터 몸 상태가 이상해졌다. 숨을 쉬기가 힘들어졌고, 온몸의 기운이 쉴 새 없이 빠져나갔다. 처음에는 감기인 줄 알고 3교시까지는 참아봤지만, 4교시가 시작되자 더 이상 참을 수 없어 보건실로 갔는데, 보건 선생님이 나의 상태를 듣고는 부정맥이 의심된다며 갑자기 손에 맥박을 재는 기계를 채우셨고, 측정 결과, 불행하게도 부정맥 진단이 맞았다. 청소년의 평균 분당 맥박 수는 보통 80회~100회가 일반적인데, 난 거의 두 배에 해당하는 분당 170회의 속도로 심장이 뛰고 있었던 것이었다. 즉시 학교를 조퇴하고, 정확한 검진을 위해 부모님과 동행하여 근처 병원에서 정확한 심박수와 심장의 전기신호를 기록하는 심전도를 측정했다. 검사 결과, 심장의 전기신호에 이상이 생겨 부정맥이 발생한 게 확실해졌고, 여기서 치료할 수 없는 급한 사안이었기에, 의사 선생님은 약물치료를 받을 수 있는 대학병원 응급실로 가라고 지시했다. 의사 선생님은 움직이는 게 힘들다면 구급차를 이용할 수 있다고 말씀하셨지만, 나는 구급차는 너무 유난 떠는 거 같아서 엄마한테 택시를 타자고 했는데, 나중에 알게 된 사실이지만, 구급차를 충분히 이용해도 될 정도로 생명에 지장이 생길 수 있는 위급한 상황이었다.

그렇게 응급실 접수를 하자마자 의료진분들은 바로 나를 치료하고자 하셨고, 약물치료를 통해 맥박이 3시간 만에 안정이 되자 겨우 집에 돌아갔다. 다음 날, 나는 어제 방문했던 병원에서 진료를 보려고 했지만, 새로 생긴 대학병원이라 아직 심장내과가 들어오지 않은 관계로 응급실에서 추천해 준 다른 대학병원에 외래 일정을 잡았다. 그곳에서 심장 초음파검사, 심전도 검사 등등 정밀검사를 한 결과, 난 선천적으로 부정맥을 가지고 태어난 사실을 확인할 수 있었다. 그동안은 운이 좋아서 여태까지 부정맥이 발현되지 않았지만, 이번에 심장의 전기 신호가 이상해져 비정상적으로 빨리 뛰게 된 것이었다.

시술은 2월 초에 받았다. 사실 더 빨리 받을 수 있었지만, 내가 시술 날짜를 잡지 않다가 1월 초에 부정맥이 한 번 더 터지고 나서 그제야 급하게 시술 날짜를 2월로 잡게 되었다. 시술은 두 번 진행했는데,

첫 번째 시술 때, 허벅지 털을 정리하고, 허벅지에 있는 동맥에 코일을 넣기 위한 관을 삽입한 뒤, 생체 조직을 잘 보이게 하는 조영제를 넣어가며 나의 상태를 확인했다. 그러나 예상했던 것보다 훨씬 더 어려운 위치에 있어 지금 있는 시술실의 기기로는 치료할 수 없는 관계로 다시 시술 일정을 잡기로 했다. 그렇게 나의 첫 번째 시술은 실패로 끝났다. 그래서 시술을 두 번 진행한 것이다. 이틀 뒤 아침, 난 두 번째 시술을 받았는데, 이날이 내 인생에서 최고로 힘들었던 최악의 날이었다. 내가 가진 부정맥의 경우, 치료하기 위해선 정상적인 심장의 전기 신호를 교란하는 정확한 지점을 찾아야 했는데, 그러기 위해선 심장에 의도적으로 부정맥을 유발시켜야 했기 때문에 안전상의 이유로 수면 마취 없이 맨정신으로 깨어있어야 했다. 부정맥이 발생하자, 심장이 빨리 뛰기 시작했고, 곧이어 숨이 가빠지며, 머리가 어지러워지고, 체력이 떨어지기 시작했다. 여기까지는 겨우 버틸 수 있었지만, 심장에 고주파를 쏜 이후 급격하게 힘들어졌다. 말이 고주파지 심장에 화상을 입히는 거였기에 가뜩이나 부정맥 때문에 심장이 빨리 뛰어 숨이 가쁜 상황에서 심장에 화상을 입으니 숨을 쉴 때마다 단전에서부터 올라오는 고통 때문에 숨을 쉬는 게 죽을 만큼 힘들었다. 얼마나 힘들었으면 어제저녁부터 단식했음에도 불구하고 속이 울렁거려 물 토를 두 번이나 했을 정도였다. 그리고 이 과정이 무려 4시간 동안 지속되었다. 만약 부정맥이 재발해 이 고통을 한 번 더 견뎌야 하는 상황이 발생한다면, 차라리 시술을 받지 않는 걸 고민하고 싶을 정도로 정말 힘들었다.

끝없는 시술 시간이 완전히 끝났지만, 내가 견뎌야 할 시간은 아직 끝난 게 아니었다. 심장에 화상을 의도적으로 발생시켰기 때문에 여전히 숨을 쉴 때마다 가슴이 찢어지는 고통이 가득했고, 시술을 위해 허벅지 동맥에 관을 삽입했던 탓에 칼로 찢은 동맥을 지혈하기 위해 양 허벅지에 무거운 모래주머니를 올렸으며, 모래주머니를 올려놓는 8시간 동안은 침대 밖으로 움직일 수 없었다. 또한 4시간 동안 금식을 유지해야 했다. 1년간 느낄 수 있는 고통을 5시간 동안 한 번에 느낀 나는 충격이 너무 컸던 나머지 금식 시간이 지나 밥을 먹을 수 있음에도 그 무엇 하나 입에 넣을 수 없었다. 또한 허벅지 위에 있는 모래주머니는 갑갑했으며, 지혈 때문에 이리저리 뒤척이지도 못하니 너무 답답했다. 그래서 그럴까, 우울한 감정이 내 머릿속에 가득 들어왔다. 저녁 8시부터는 소변까지 마려워지기 시작했다. 소변의 경우 소변 컵을 이용해 볼 수 있었지만, 차마 침대에서 볼일을 해결하기에는 너무 껄끄러웠기에 난 딱 2시간만 참기로 다짐한 뒤, 명탐정 코난 극장판을 보며 시간을 버텼다. 기다리고 기다리던 밤 10시가 되자, 드디어 모래주머니를 제거할 수 있었는데, 즉시 볼일을 보기 위해 화장실로 향했다. 이마저도 걸을 때마다 허벅지가 아파서 제대로 걸을 수 없었다. 겨우 화장실에 자리 잡은 나는 시술 시작부터 모래주머니를 제거한 순간까지 총 12시간 동안 참은 소변을 봤는데, 정말 대단한 양이 나왔고, 참 엄청난 기분이었다. 2시간 동안 참은 급한 볼일은 해결했지만, 오늘 상황이 너무나 힘들었기에 여전히 나는 우울했다. 식욕은 없었지만 배는 고팠고, 뭐라도 먹어야 힘이 날 거 같은데, 그렇다고 억지로 먹자니 밀가루나 쌀이 내 위에 들어간다면 바로 토할 거 같아서 먹는 행위 자체가 부담되었다. 이때 생각난 것이 있었으니, 나의 소울 푸드, 모두가 예상했다시피 육포가 떠올랐다. 나는 아빠한테 육포를 사달라고 부탁했고, 아빠가 병원 내 매점에서 사 온 육포를 조금씩 먹기 위해 잘게 잘게 찢었다. 어제부터 단식했으니 거의 30시간만의 첫 식사였다. 조심스레 육포를 입에 한 조각 넣어 씹었는데, 그때 먹은 육포의 맛은 잊을 수 없을 정도로 정말 맛있었다. 힘들었던 하루였지만, 조그마한 말린 고깃덩어리 덕분에 위로를 얻을 수 있었고, 마음이 평화로워졌다. 이마저도 갑자기 많이 먹으면 위에 부담이 갈까 봐 딱 다섯 조각만 먹었고, 나머지는 냉장고에 보관했다. 이렇게, 세상에서 가장 힘들고, 지치고, 아픈 날, 나를 위로해 준 최고의 보약은 바로 육포였다.

남은 비중은 학창 시절이 차지하는 것 같다. 고등학교 2학년까지는 부정맥 같은 여러 사정도 있었고, 심적으로도 불안했으며, 무엇보다 내가 공부해야 하는 이유를 찾지 못한 관계로 학생의 본분인 공부를 하지 않고 띵까띵까 놀면서 나의 현실을 회피하느라 바빴다. 그러다가 고등학교 3학년 때, 뒤늦게 정신을 차린 나는 '올해는 무조건 공부를 해보자!'라며 다짐했다. 이미 격차가 너무 많이 벌어져 있었기에 모든 격차를 따라잡는 것은 거의 불가능에 가까웠음에도, 내가 할 수 있는 공부라도 하고자 진입장벽이 낮은 국어 비문학, 수학-확률과 통계, 사회탐구 과목부터 공부를 시작했었고, 귀찮아서 다니기 싫어했던 학원까지 공부를 위해 내 의지로 다니게 되었다. 그렇게 공부하다 보니 가끔은 학교 수행평가 일정과 학교 숙제, 학원 숙제가 겹쳐있어, 1분이라도 펜을 놓으면 전부 완수할 수 없는 날도 발생했다. 그럴 때는 과감히 점심시간과 쉬는 시간을 버렸는데, 이때 배고픈 나를 위로해 준 것은 역시 육포였다. 나는 이런 날을 대비해 가방에 육포를 들고 다녔다. 물론 이전에도 가끔 비상 간식 개념으로 들고 다니긴 했지만, 고3이 되자, 육포의 필요성 때문에 육포를 챙기는 빈도수가 증가하게 되었다. 육포는 가격 대비 에너지 효율이 잘 나오는 편은 아니다. 그러나 빵이나 다른 밀가루 과자에 비해 간편하게 보관할 수 있었고, 납작해지거나 깨지는 등, 모양이 변형될 염려도 없었으며, 손에 묻지 않아 간편하게 먹을 수 있어 잠깐의 먹는 시간도 아낄 수 있었다, 무엇보다 내가 좋아하는 간식이라 먹을 때마다 약간의 위안도 얻게 되어 정신적인 에너지까지 충전할 수 있었으므로 나에게는 최고의 가성비 간식이었다.

이렇게 나의 육포 사랑은 별 탈 없이 꾸준히 이어갈 줄 알았지만, 이를 뒤흔드는 사건이 하나 발생하는데, 바로 나의 육포 사랑에 파벌이 형성되었기 때문이다.

고등학교 3학년의 어느 날, 집에서 밥을 먹으면서 유튜브를 보고 있었는데, 유튜브 추천영상에 홈메이드 육포 만들기가 등장했다. 나는 '이 영상은 절대 못 참지~'하며 영상을 재생했는데, 영상에서 만드는 육포는 내가 아는 육포가 전혀 아니었다. 슬라이스 고기를 쓰지 않고 다짐육을 사용했으며, 양념 또한 내가 생각하는 육포에서는 상상하기 힘든 만큼의 향신료와 설탕, 꿀이 들어갔다. 자세히 알아보니 영상에서 만드는 육포는 내가 알던 말린 육포가 아닌 '박과'라는 육포 종류의 하나였는데, 흔히들 우리가 먹는 슬라이스 된 고기가 바싹 건조된 육포는 서양식 육포라면, 박과는 많은 양의 향신료와 당분이 들어가는 중국식 육포라고 할 수 있고, 대중적으로 [비첸향]이라는 육포가 있다. 나는 육포에도 종류가 있다는 사실을 알게 된 순간 눈이 뒤집어지게 놀랐고, 곧이어 '저 육포를 언젠가는 먹어보고 싶다'라고 생각했다. 그래서였을까, 내가 박과 육포를 먹게 되는 날도 얼마 걸리지 않았다.

수능이 끝나고 다음 날, 나는 친구랑 같이 롯데월드타워의 전망대로 갔다. 전망대에 올라가기 전 끼니를 해결하기 위해 롯데백화점으로 갔는데, 거기서 우연히 비첸향 육포 판매점을 발견했다. 나는 종소리에 반응하는 파블로프의 개 마냥 바로 친구를 끌고 비첸향 판매점으로 갔고, 점원분의 설명을 들은 뒤, 돼지고기 육포부터 소고기 육포까지 약 3만원어치의 육포를 현장에서 바로 결제했다. 점원 누님은 육포를 많이 산 나와, 같이 온 친구에게 서비스로 육포를 한 조각씩 주셨는데, 혀 안으로 들어간 생애 첫 비첸향 육포의 맛은 실로 충격적이었다. 고기와 지방의 감칠맛과, 촉촉하지만 씹는 맛이 있는 오묘한 식감, 기존 육포와 비교 대상에 놓는 것조차 부끄러울 정도로 엄청 달콤하면서 약간 짭짤한 맛이 더해져, 완벽한 육각형의 맛이자, 환상의 맛을 자랑했기 때문이다. 정말 무지 매우 맛있었다. 친구도 "와 미친?!

이거 뒤지게 맛있는데?"라고 말하며 육포의 맛에 풍덩 빠져들었다. 그렇게 나는 육포의 맹신도가 되었고, 친구도 비첸향 육포의 신자가 되었다. 심지어 내가 사 온 육포를 맛본 친누나도 이렇게 맛있는 육포는 처음 먹어본다면서 비첸향 육포에 푹 빠져들게 되었다. 안전하게 집으로 가져온 육포는 냉장 보관하면서 일주일간 야금야금 아껴먹었다. 그렇게 서양식 육포와 중국식 육포는 각자의 특색 때문에 우열을 가릴 수 없는 영원한 라이벌 관계로 탄생하였다.

참고로 육포에 빠져든 내 친구는 한 번 더 등장할 예정이니 잊지 말기 바란다.

내가 두 번째로 비첸향 육포를 사러 갔을 때는 시간이 꽤 경과했다. 짧고 굵게 박과 육포를 즐긴 이후 잠시 소강상태에 접어들어 박과 육포를 잊게 될 즈음, 7월 초, 다시 한번 롯데월드타워 전망대에 갈 일이 있었을 때, 다시금 박과 육포가 떠올라 비첸향 육포를 구매하기로 마음먹었다. 근데 이 생각은 나만 한 게 아니었다. 내가 롯데월드타워 전망대에 간다는 것을 안 친누나는, 잠실에 가는 김에 저번에 사 왔던 박과 육포를 사 와 달라며, 나에게 용돈까지 포함해서 무려 5만 원을 준 것이었다. 나는 그 돈을 귀하게 보관한 뒤, 비첸향 판매점으로 향했고, 무려 육포 6만 원어치를 구매했다. 정확히는 기억나진 않지만, 무게로 따지면 거의 한 근에 가까웠을 것이다. 엄청난 양의 육포는 집까지 안전하게 배송되었고, 두 개의 반찬통에 담긴 뒤, 누나와 내가 거의 3주간 아껴먹었던 것 같다. 잠실에서 사 온 육포가 한 3분의 1 정도 남은 시점, 문득 처음 내가 박과 육포를 알게 된 영상이 떠올랐고, 곧이어 '내가 직접 한 번 만들어 볼까?'라는 거대한 상상을 하게 되었다. 영상을 여러 번 돌려보며 분석한 결과, 박과 육포는 일반인이 상상할 수 없는 향신료와 재료가 들어갔고, 시간도 많이 소요되었다. 그렇기에 보통 사람 같았으면 흔한 요리 영상으로 취급했겠지만, 육포에 미쳐있던 나는 육포를 직접 만든다는 계획을 실행으로 옮겼다. 나는 '이왕 만드는 거 한 가지만 더 만들어 보자'라고 생각했고, 연관 동영상에 있던 수제 베이컨 잼에 영감을 받아 이번에 수제 박과 육포와 수제 베이컨 잼, 총 두 개를 만들기로 결정했다.

시작부터 정말 만만치 않았다. 두 개의 음식을 만드는 데 재료비로만 무려 12만 원이 소모된 것이었다. 배송 시간도 예상보다 길어졌는데, 신선식품은 바로 내일 배송이 완료되었지만, 향신료의 경우, 육포에 필요한 대괴부유, 오향분, 백설탕은 물론 베이컨 잼에 필요한 흑설탕, 케이엔 페퍼 분말(빨간 후추 분말), 쉐리 비네거(와인 식초), 애플 비네거(서양 사과 식초), 타임, 버번위스키(술)까지 엄청 다양했기에, 모든 재료가 도착하기까지 꼬박 3일이 걸렸다. 음식 조리 당일, 재료의 상태를 확인하고, 레시피를 계속 확인한 뒤, 소요되는 시간을 계산하였고, 그렇게 정해진 내 계획은 세 단계로 이뤄졌다.

첫 번째로 육포를 만드는 데 쓰이는 다짐육을 향신료와 설탕, 간장 등등을 섞어 3~4시간 숙성하고 숙성되는 동안 두 번째로 베이컨 잼을 만든 뒤, 세 번째로 숙성이 완료된 고기를 에어프라이기를 이용해 육포로 만들기로 결정했다. 그러나 계획은 계획일 뿐이었다.

요리는 오후 5시에 시작했는데, 고기를 숙성시키는 건 얼마 걸리지 않았지만, 베이컨 잼을 만드는데 원래 계획했던 3시간보다 훨씬 긴 6시간이 소요되어 베이컨 잼 요리가 끝나는 시간이 밤 11시가 넘어버렸다. 혼자 살았다면 밤을 새워서라도 육포를 만들었겠지만, 난 가족과 함께 살았기에 가족들의 수면시간을 지키기 위해 모든 활동을 멈추었고, 숙성 당일날 육포를 만들 수 없었다. 그렇게 육포용 고기는 원래 계획했던 3~4시간에서 무려 22시간으로 늘어나게 되었다. 여기서부터 낌새가 이상했지만, 재료비가 아깝기도 했고 숙성까지 시켰으니 이제 와서 무를 수도 없었다. 그렇게 난 종이 호일에 과숙성된 고기를 얇게 펴 바르고, 에어프라이기에 30분씩 2번, 20분씩 두 번, 총 4번의 건조 시간 동안 육즙을 키친 타월로 닦고, 꿀물을 발라가며 열과 성을 다해 만들었다. 정말 힘들게 만든 수제 육포의 맛이 너무나 기대돼 바로 한 입 먹어봤는데, 숙성이 너무 길었는지, 설탕을 덜 넣었는지, 간장과 소금을 너무 넣었는지는 모르겠지만, 박과 육포라고는 할 수 없을 정도로 달지 않았으며, 상상 이상으로 엄청나게 짰다. 맛을 보고 충격받은 나는 너무 절망했지만, 시련은 나에게 절망할 틈도 주지 않았다. 왜냐하면 내가 육포용 고기를 총 2kg을 구매했었고, 전부 다 숙성시켜 놓았으며, 에어프라이기에 들어간 양은 고작 8분의 1밖에 되지 않았기 때문이다. 즉 엄청나게 짠 숙성 고기가 최소 1.75kg, 아니 양념의 무게까지 생각하면 최소 2kg의 고기가 내 눈앞에 남아있었기 때문이다. 심지어 향신료가 잔뜩 들어갔기에 특이한 맛이 고기에 가득해서 밥반찬으로도 쓸 수 없었다. 나는 급하게 짱구를 굴려 남은 고기를 빠르게 해치울 방법을 고민했고, 그 결과 고기를 큰 공 형태로 만들어 함박스테이크를 만들기로 결정했다. 엄청난 크기의 함박스테이크 8개가 만들어졌고, 초벌을 한 뒤, 개별포장을 하여 냉동실에 넣어두었다. 그중 두 개는 식빵이랑 같이 먹으며 처리했지만, 아직 6개의 함박스테이크는 냉동실에 고이 잠들어 있다. 아마 저 함박스테이크는 우리나라가 갑자기 정전이 났을 때, 신체 에너지를 공급해 줄 수 있는 소중한 에너지원이 되지 않을까 싶다. 하... 인생...

　수제 육포로 한번 충격을 받긴 했지만, 여전히 나의 육포 사랑은 지속되었다. 내 손이 문제였지, 육포 자체는 문제가 아니었기 때문이다. 그 날도 여전히 육포를 먹고 싶어 쿠팡에서 육포를 찾아보던 중, 비첸향 육포를 발견했다. 그동안 늘 현장에서 구매를 해왔기에 온라인으로 주문한다는 생각을 못 했는데, 생각해 보니 온라인으로 주문한다면 클릭 한 번으로 먹을 수 있다는 메리트가 있어 현장 구매를 한다는 귀찮음을 제거할 수 있었기에 그 길로 나는 비첸향 육포를 구매하기로 마음먹었다. 내가 사고자 하는 상품은 4만 원짜리 육포였는데, 아무래도 비용이 부담되기도 했고, 최근 개인적인 사정으로 큰돈을 써서 수중에 돈이 많지 않았기 때문에 친누나한테 찾아가서 반반 구매를 하자고 제안했다. 나 때문에 박과 육포에 빠져든 누나는 예상대로 바로 승낙했고, 배송 하루 뒤, 따끈따끈하게 배송 완료되었다. 그리고 이 기쁨을 난 '그' 친구와 나누기로 했다. 오래 기다리셨습니다.

　내가 비첸향 육포를 주문한 날, 그 친구는 대학교 기숙사 침대에서 서로 안부도 묻고, 여러 잡담도 하면서 시간을 보냈는데, 내가 비첸향 육포를 샀다는 것을 말하자, 친구는 은연중에 부럽다고 말했었다. 이 때 난 동정심이 생겼는지, 나는 친구에게 오랜만에 박과 육포의 맛을 알려주기 위해 내 몫의 육포 중, 무려 3분의 1을 보내기로 마음먹고, 친구에게 기숙사 주소를 알려달라고 했다. 친구도 많이 먹고 싶었는 지, 거절 없이 바로 2분 만에 도로명주소까지 친절히 답장을 보냈고, 다음 날, 육포를 느낌 있는 포장지에 고이 싼 뒤, 우체국에 가서 친구 가 보내준 주소로 발송했다(걱정하지 마세요, 제가 산 육포는 제작 과 정 그 자체부터 낱개로 진공포장 되어있어 다른 우편물이 오염될 염 려가 없고, 육포를 보내기 전에 우체국 직원분께 육포를 보내도 되냐 고 물어봤더니 별 상관없다고 하셨습니다). 그날은 유독 날씨가 흐렸 는데, 지금 생각해 보면 앞으로 닥쳐올 상황을 암시하는 거였던 것 같 다. 발송 10일 후, 난 내가 발송했다는 것조차 까먹은 상태로 일생을 보냈는데, 갑자기 친구에게 육포 배송한 거 맞냐고 연락이 왔다. 내가 육포를 발송한 사이에 추석이 끼어있긴 했지만, 아직까지 배송이 되 지 않은 것이 이상해서 나에게 혹시나 해서 물어본 것이었다. 나는 그 즉시 우체국으로 달려갔다. 우체국 직원분께 물어본 결과, 내가 보낸 우편물은 일반우편이었다. 잠시 설명을 하자면, 우편에는 여러 종류 가 있는데, 우편함으로 가는 우편의 경우 준등기와 일반우편이 있다. 준등기의 경우 배송기간이 3일 이내로, 우편함으로 배송되고, 배송지 우편함에 배송이 완료되면 문자나 카톡 등으로 배송 완료 알림을 해 준다. 그러나 일반우편의 경우 비용이 저렴한 대신 배송 알림이 없고,

배송 추적이 불가능하며, 손실되거나 배송이 지연될 때 손해배상을 받을 수 없다. 즉 내가 보낸 우편은 현재 어디 있는지 추적이 불가능한 상황이며, 혹여나 분실되더라도 책임지는 주체는 '나'였던 것이다.

이 글을 쓰고 있는 순간, 발송한 지 14일이 지난 지금까지도 친구에게 육포를 받았다는 연락을 받지 못했다. 친구야, 나도 몰랐어. 일반 우편은 발송했다는 것만 확인이 가능하지, 추적이 불가능하다는 것은 예상하지 못했거든. '설마 배송사고는 아니겠지, 아닐 거야, 이번에 연휴가 끼어있어서 며칠 내로 반드시 도착할 거야.' 라고 생각하고는 있지만, 사실 분실되었을 확률이 더 높다. 살면서 이런 일이 생길지도 몰랐고, 내가 정말 사랑하는 육포가 나를 이렇게 속 썩일 줄은 정말 예상하지 못했다. 그래도 육포 사랑하시죠? 당연합니다!

라고 육포배송사건 글을 마무리할 예정이었으나... 글을 마무리하기 전, 발송 20일 차에 혹시나 해서 친구에게 다시 한번 연락한 결과, 진짜 다행히도 육포 배송이 성공적으로 완료되었고, 소중한 육포니 조심스레 아껴먹고 있다고 소식을 전했다. 여기서 잠깐 웃긴 이야기를 전하자면, 친구는 내가 보내준 육포를 먹으며 카톡을 보냈는데 갑자기 이해할 수 없는 문자가 왔다. "역시 비취향이야, 겁나 맛있다니까?"라고 답장이 온 것이었다. 나는 답장을 보자 순간 이해할 수가 없었다. '비취향인데 맛있다고? 뭔 소리지? 내가 아는 비취향의 뜻은 내 취향이 아니라는 뜻인데... 혹시 나도 모르는 사이에 신조어 '비취향'이 생겨났나?'라는 생각이 들었고, 궁금한 나머지 친구에게 "비취향이 뭐임?"이라고 카톡을 보냈다. 곧바로 답장이 왔는데, 그제야 "비취향"이 뭔지 알 수 있었다. 답장은 "비취향 육포, 겁나 맛있잖아."라고 왔다. 읽으면서 눈치채신 분들도 있겠지만, 친구는 비첸향 육포를 비취향 육포로 이름을 헷갈린 것이었다. 나는 바로 "비취향 ㅋㅋㅋㅋ, 그거 비취향 육포가 아니라 비첸향 육포임"이라고 문자를 보냈다. 친구는 "어쩐지, 비취향 육포를 네이버에 검색해도 안 나오더라 ㅋㅋㅋ ㅋㅋㅋ"라고 답을 줬다. 친구도 많이 당황했나 보다. 그렇게 연락을 마무리하려고 할 찰나, 갑자기 친구가 괘씸해졌다. 분명 육포를 받았으면 연락을 해달라고 했는데, 친구가 우편 수령을 했다는 연락을 까먹고 하지 않은 점이 떠올랐기 때문이다. 그래도 "비취향" 육포로 나를 웃게 만들었으니 처벌의 수위를 낮춰, 육포를 만들려다가 실패해 급하게 노선을 틀어 만들었던 엄청나게 짠 함박스테이크를 둘 다 시간이 되는 날 그 친구를 우리 집에 초대해서 먹일 생각이다. (그래도 처벌이 너무 가혹한가?)

이렇게 나는 육포를 정말 각양각색의 방법으로 씹고 뜯고 맛보고 즐겼으며, 우여곡절도 많았지만, 여전히 나의 맛있는 영양 간식이자, 특별한 날 꼭 먹어야 하는 소울푸드로 자리 잡고 있다. 또한 나는 100세 인생으로 가정했을 때, 앞으로 육포를 사랑할 기간은 한참 남았기 때문에 육포를 즐길 수 있는 방법 또한 무궁무진할 예정이다. 다만 지금 생각나는 계획이 있다면 한 3개 정도가 있는데,

첫 번째로, 작은 김치통을 들고 비첸향 육포를 현장 판매하는 곳에

가서 김치통 가득 육포를 담아오고 싶다. 적어도 100만원이 깨질 각오는 해야겠지만, 언젠가 목돈이 들어온다면 반드시 해보고 싶은 마음 한구석 자리 잡은 호기심이자. 어른이 돈을 흥청망청 쓰는 법이자, 나만의 특별한 욕망이 되었다.

두 번째로, 수제 육포를 다시 도전하고 싶다. 나는 아직도 그때 실패한 수제 육포가 너무 아깝고, 아쉽다. 그래서 다음번에 수제 육포를 만들게 된다면 이전의 실수를 발판 삼아 확실히 성공시키고 싶은 욕망이 가득하다. 그리고 이왕 만들 거라면 우리가 흔히 아는 서양식 슬라이스 건조 육포와 중국의 박과 육포 둘 다 만들 생각이다. 물론 이것도 필요한 재료를 사기 위한 비용과, 육포를 말리기 위한 건조 기구까지, 어쩌면 첫 번째 계획보다 더 많은 돈이 나갈 수도 있지만 돈이 문제이기 때문에 언젠가는 반드시 시도할 거라는 것을 난 직감하고 있다.

세 번째로, 나처럼 육포에 환장하는 신도들을 앞으로 최소 7명 이상 만들고 싶다. 이미 난 내 친구와 친누나까지 육포를 좋아하는 사람으로 만들었지만, 육포가 가진 매력을 이 사람들만 알고 있다는 게 난 너무 아깝고, 아쉽다는 생각이 든다. 그렇기에 난 주변 사람들에게 육포를 권하면서 서서히 육포의 매력을 알릴 생각이다.

(개인적인 바람이지만, 이 글을 읽고 육포에 관심이 생긴 사람도 제법 있었으면 좋겠습니다. 만약 육포에 관심이 생기셨다면, 나중에라도 꼭 비첸향 육포는 드셔보시는 걸 추천합니다!)

이 정도면 나의 육포에 대한 광기는 충분히 증명한 것 같다. 조금 지나친 것 같다는 생각이 들 수 있지만, 글로 모아놔서 한 번에 느껴지는 것일 뿐, 생각보다 빈도수는 적은 편이다. 또한 현생에 절대 부정적인 영향을 주지 않으며, 사회에도 해를 끼치지 않은 나만의 취미이기 때문에 너무 걱정할 필요는 없다. 무엇보다 다들 이해해 줄 거라 믿는다. 다들 좋아하는 것쯤은 최소 하나씩은 가지고 있지 않은가, 그게 음식이든, 사람이든 본질적인 사랑은 비슷하다고 생각한다. 자꾸 생각나고, 나를 즐겁게, 행복하게 만들어 주고, 가끔은 나에게 큰 위로가 되어 주고, 함께 있고 싶고, 그게 바로 사랑이다. 잘 찾아보면 이 글을 읽는 여러분들도 무언가를 사랑하는 당신을 발견할 수 있을 것이다. 사랑이란, 찾으려 할 때 비로소 눈에 보이는 법이니까 말이다.

향기의 대화

정주영

정주영   늘 향기들과 함께하는 조향사의 길을 걸어가고 있지만 내가 만나는 향기와의 인사를 함께 나누고 싶었습니다 . 향기에서 느껴지는 대화는 모두 다르지만 시의 향기가 전달되어 지길 바랍니다.

인스타그램: @the_eco___
블로그: blog.naver.com/a91911

Perfume

향기들이 모여
코끝에서 속삭인다

향기들의 속삭임에
빠져있다 보면...

고되었던 기억도
행복했던 기억도

하나가 되어
기억 속의 향기가
코끝에서 느껴진다,

내 마음속 따사로운 향기로
내 머릿속 시원한 향기로
흩어져 나오는 속삭임의 향기로

Bergamot

낯설다.
낯설지가 않다.

첫 만남의 설렘 뒤
숨겨진 잔잔한 설렘

잔잔한 설렘이
오랜 시간 여운이 되어

잊히지 않는
그리움으로 남아
차곡히 쌓여 간다.

Lemon

밝은
상큼함이

하나씩 모여
밝음이 점점 커진다

밝음이 터져
상큼한 빗방울이 되어

밝음 하나
밝음 둘
밝음 셋... 하고 똑똑 떨어진다.

밝고 밝아
감추어지지 않는 상큼함이
점점 커진다

Lavender

거친 바람과 함께
흔들리는 보랏빛 물결

풀빛 향기와 함께
실려 오는 보랏빛 내음

거친 들판에서 마음껏
노니는 보랏빛

자유롭고 평화로움을
가진 보랏빛 그림자

언덕 위 보랏빛 그림자가
하늘마저 보랏빛으로
물들이네

Ylang Ylang

매료되어
빠져나올 수 없는
강렬한 인사가
잊히지 않는다.

너와 나의 사랑이
짙어질수록

깊게 박힌
사랑이 새겨지고

깊게 박힌
사랑이 너에게도
새겨진다.

너와 나의 사랑이
하나가 되었다.

Rose

강하다
멋지다
화려하다
웅장하다

그러니 로즈다

상처였다
아픔이었다
마음이었다
압도되었다

그래서 로즈다

Peppermint

지끈거리는 두통도
여름철 습한 기운도
나는 너의 시원함으로
모두 잊힌다

뜨거운 열정도
깊은 한숨도
막막한 답답함도

얼음처럼 단단히 얼려
푸른 바다에 던져 버리고
파란 하늘에 뿌려
차가운 한줄기 시원함으로
기억되고 싶다

Pine

솔잎
솔방울

솔잎 끝에 맺힌 이슬
흔들림에 맑고 청아한
연주가 시작되었다

뻗어나가는 소리에
모두 숨죽여
연주에 귀 기울여 본다

연주와 함께
물의 시간도
해의 시간도
바람의 시간도
공기의 시간도

모두 깨어난다

Cedarwood

홀로 남겨진
너

기다림으로 단단해진
너

기다림으로 가득 차 있지만
올곧은 나무가 되어

누굴 기다리고 있니?
너의 나무 내음이 번져나가
그의 마음속에 나무 내음이 스며들길

Patchouli

메마른 흙길
발자국 따라가다 보면
초록빛 풀잎이 보인다

초록빛 풀잎 사이로
붉은 태양이 뜨겁게 내리쬐어
메마른 흙들은
목마름에 아우성치니

먹구름이 다가와
한바탕 소나기가 내려
메마른 흙이 여기저기 튕겨 나간다.

풀잎들에 흙들이 엉켜
온통 흙투성이가 된다

Musk

너의 오늘
맞잡은 손의 온기와
포근한 너의 품에서
잔잔히 번지는 미소처럼

너의 오늘
따사로운 공기와
함께 먹은
부드러운 시폰케이크처럼

너의 오늘
남겨지는 여운...

재(再)

포도주

포도주 내면을 깊이 들여보는 글을 쓰려 합니다. 하루에도 수 만 번 지나가는
감정을 몇몇은 잡아다가 이리 뜯어보고, 저리 뜯어보며 탐독합니다.
감정은 균열에서 생깁니다. 그래서 삶의 평안에서 생기는 균열만큼 희
열을 주는 것이 없습니다. 당황스러운 균열을 즐기는 방법 중 하나인,
글이 되길 바랍니다.

- 언니, 나는 재가 되었어요.

그녀를 만난 후 사계절이 돌아온 때였다. 서향에 위치한 오피스텔에 황금빛 노을이 방안 깊숙이 들어오던 날, 우편함에 꽂힌 편지. 각진 글씨체로 또박또박 쓴 보낸 이는 반가움과 의아함이 뒤엉키는 이름이었다. 정희주. 편지 봉투를 열자 가장 먼저 띈 문장은 그녀와 처음 대화를 했던 날처럼 뜬금없었다. 문득 희주의 표정이 궁금해졌다. 이 편지를 쓰며 그녀는 어떤 얼굴이었을까?

희주를 만난 것은 회사에서였다. 중견기업이지만 다른 곳보다 분업화가 잘 되어 있는 곳이라는 평을 듣는 곳이었다. 대표는 젊은 나이에 회사를 차렸고 독일에서 유학했다고 했다. 체계적이고 분업화된 시스템을 일찍부터 도입해서 젊은 나이대의 직원이 많았고, 이직률도 낮은 편이었다. 평소 다른 직무의 사람끼리 얘기할 일이 없기 때문에 회사에서는 동호회 가입을 다른 것보다 적극적으로 지원했었다. 내향형, 외향형에 따라 선택할 수 있도록 카테고리도 다양했다. 특히 처음

입사한 사람들은 분위기에 얼른 적응하려고 동호회 가입을 서두르는 분위기였다. 나는 고민하다 등산 동호회에 들었다.

대부분은 이런 작은 회사의 대표를 궁금해하지 않지만 나는 관심이 많았다. 서효정 대표는 나와 고작 3살 차이인데 그녀의 성공담을 담은 잡지나 기사들을 가끔 접했다. 연예인이나 유튜버나 가리지 않고 셀럽들을 두루 알고 있는 마당발이랬다. 그녀의 실체를 직접 보고 싶었다. 그런 그녀가 등산 동호회에 대한 애정이 각별하다는 얘기를 듣고 한 번쯤은 볼 수 있지 않을까? 싶어서 들어갔다. 의도와 달리 등산은 의외로 내 성향에도 잘 맞았다. 사무실에 있을 때와는 달리 계절의 변화가 예민하게 몸에 와 닿았다. 등산에 재미가 들어 꾸준히 나갔지만, 동호회에 쉽게 마음이 통하는 사람이 생기진 않았다. 직무도 다르고 대부분은 가정이 있는 사람이었다. 관심사나 대화 주제가 달라 쉽게 끼기 어려웠다. 누구라도 편하게 이야기할 사람이 있다면 좋을 텐데, 생각하던 차였다.

그 무렵 희주는 유일하게 입사한 지 한 달이 지났는데도 사내 동호회에 들어가지 않은 사람이었다. 팀장의 추천으로 마지못해 들어갔던 독서 모임에서도 별다른 대화가 없이 조용히 있다가 조용히 사라졌다고 했다. 숨소리조차 조용해서 가끔 회사에 혼자 남아있는 줄 알았다가 희주가 있는 걸 보고 화들짝 놀란 사람들도 있었다. 나 역시 처음엔 희주와 간단한 인사 외에는 말 한마디 한 적이 없었다. 희주는 가끔 웃을 땐 어린아이 같고, 무표정일 땐 어떤 것도 세상에 관심이 없는 듯 초연한 얼굴이었다. 그게 바로 맞은편 자리였지만 그녀와 본격적으로 대화를 나눈 게 일을 시작한 지 3개월 만이었던 이유였다. 쉽게 말 걸기도, 대화를 이어 나가기도 어려운 사람. 그게 희주의 첫인상이었다. 나 역시 딱히 말을 걸 필요성을 느끼지 못했고 한편으론 어려운 사람을 대하고 싶지 않았다.

그날 밤은 온 피부에 가을이 엄습했던 날이었다. 회사 근처에서 친구와 술 한 잔 한 뒤, 버스 막차 시간에 맞춰 친구를 보내고 회사에 두고 온 카디건을 가지러 8층으로 올라갔다. 아무도 없을 줄 알았던 회사에 불이 내 자리 쪽만 켜져 있었고 누군가 불을 깜빡하고 안 끄고 갔나보다 생각했다. 무선 이어폰으로 흘러나오는 노래를 흥얼거리며 의자에 걸친 카디건을 들어올렸다. 그 순간 자리에서 희주가 일어난 것이다.

"악!"

안 그래도 조용한 사람인데, 노래까지 듣고 취기가 오른 내게 그녀가 보였을리 없었다. 너무 놀라서 카디건을 떨어트렸다.

"죄송해요."

한 가수에서 다른 가수로 넘어가는 절묘한 정적을 틈타 앳된 목소리가 귀에 들어왔다. 카디건을 주워 들고 노래를 껐다. 취기에 용기도 생겼고 무엇보다 호기심이 강하게 등을 떠밀었다.

"왜 여태 안 가셨어요?"

"이제 가려고요. 오늘 마감이라서…"

오늘 상세페이지 수정 사항이 생겼는데 하필이면 저녁 시간에 급하게 처리해야 한다고 오더가 왔다. 나보다 낮은 연차였던 희주가 그 일을 해야 했고 나는 여태 그걸 잊고 있었던 것이다. 같은 직무인데도 모르는 척 했다는 미안함과 묵묵하게 여태 마무리 짓고 있었다는 대견함이 섞여 무슨 말이라도 덧붙이고 싶었다. 아무래도 나보다 더 어리다는 얘기를 들었던 터라 동생 같이 느껴졌다.

"저녁 드셨어요?"

"아직이요, 얼른 처리해야한다고 해서"

"지금 식당은 문을 많이 닫아서, 제가 여기 앞에 자주 가는 우동집 있는데 가실래요? 제가 살게요"

말은 건넸지만 받아들이지 않을 것이라고 생각했다. 회사 사람 누구와도 대화를 잘 하지 않았던 그녀였고, 나도 사실 술김에 한번 물어봤던 것이다.

"좋아요."

예상치 못한 전개에 살짝 당황했지만 내가 어쩌면 그녀와 회사에서 관계를 맺는 첫 사람이 아닐까 하는 생각에 슬슬 흥분됐다. 어차피 집에 가면 씻고 TV보며, 술이 아쉬워 맥주로 달랠 참이었는데 잘됐다고 생각했다. 슬슬 올라오던 취기가 어색함을 잠깐 마비시켰던 것 같다. 그렇지만 엘리베이터에서부터 우동집까지 가는데, 숨을 어느 타이밍에 쉬어야 할지 고민될 정도로 우리는 조용했다. 이런 얘기를 꺼내 볼까, 저런 얘기를 꺼내 볼까 고민하다 우동집에 도착했다. 테이블이 몇 없고 사장님 내외가 운영하는 작은 우동집은 내가 처음 회사에 오면서부터 늦은 시각에 간단하게 한잔 마시고 싶을 때 들리는 곳이었다. 아무도 모르는 나만의 아지트로 정해뒀던 곳이었다. 나는 기본 우동과 소주 한 병을, 그녀는 어묵 우동을 시켰다. 소주잔을 채우는 꼴 꼴꼴 소리가 유난히 우렁차게 들렸다. 그 때,

"저도 한 잔 주세요."

라고 또렷하게 내 눈을 보며 말을 하니, 어색함의 유리가 깨졌다. 속눈썹이 긴 그녀의 눈을 보며 궁금한 걸 쏟아내기 시작했다.

"술, 좋아해요?"

"오늘 왠지 잠이 안 올 것 같아서요. 원래 맥주보다 소주 좋아해요."

짠, 하지도 않은 채 각자의 잔을 소주와 이야기로 채웠다. 그리 깊은 이야기는 아니었지만 그녀를 알기에는 충분했다. 이 나라의 어느 소도시에서 왔고, 대학은 다른 지역에서 다니다가 일을 찾아 상경했으며 대학부터 알고 지내던 오빠와 9년을 만났다고 했다. 9년을 만났으니 결혼도 곧 하겠네요? 라고 물으니 옅게 미소 짓다가 이내, '현실적으로 요즘은 그게 좀 힘든 것 같아요.' 라며 씁쓸하게 웃었다. 아차, 싶었다. 그 후 잠깐의 정적이 흘렀다. 화제를 전환하고 싶었다.

"희주씨, 그런데 제가 밥 먹자고 한 걸 왜 오케이 한 거예요? 전 사실 거절할 줄 알았어요."

"저 처음에 왔을 때 가장 먼저 말 걸어준 게 언니였어요. 언니는 제 얘기 잘 들어줄 것 같기도 하고요"

"내가?"

"기억 안 나시죠? 처음에 제가 프린트가 안 돼서 애 먹고 있을 때 도와주셨잖아요."

"아, 이제 기억나요. 그런데 제 나이도 알았어요?"

"말은 안 해도 가끔 대화하는 소리는 들려서요. 알고 있었어요. 회사 밖이니까 언니라고 해도 되죠?"

홍조가 눈 밑을 타고 번져가는 얼굴이 30대라기보다 20대 초반처럼 보였다. 바깥은 점점 추워지는데 따뜻한 공기의 우동집은 우리가 다른 세상에 있는 기분을 들게 했다. 몸 깊숙이 뜨끈한 우동 국물이 번지며 마음이 괜히 몽글몽글해졌다. 분위기에 취기까지 더해졌다.

"난 상관없어요."

"언니도 말 편하게 하세요."

그렇게 우동 집이 문을 닫을 때까지 온갖 이야기를 나눴다. 나는 주로 질문을 던졌고 희주는 답했다. 어렸을 때 한 가장 큰 나쁜 짓이나 지금 가장 후회하는 일이나, 좋아하는 유형의 사람, 싫어하는 성격, 가장 뿌듯했을 때 같은 주제로 대화하다 보니 어느새 영업 마감 시간이 되었다. 희주는 말을 정리해서 하려고 노력하는 것처럼 보였다. 예상했던 것만큼 진중했고 예상치 못하게 쾌활한 면도 있었다. 어릴 때 한 나쁜 짓을 했던 얘기를 할 때, 아빠가 혼내는 게 미워서 소리가 나는 악마 인형을 베개 밑에 넣었다가 밤새 아빠가 악몽을 꿀까 봐 걱정돼서 자는 아빠 베개 밑에 손을 넣어 다시 꺼냈다고 했다. 그러며 깔깔대는데 오래 알고 지낸 여동생처럼 느껴졌다. 그렇게 몇 시간을 떠들고 우리는 우동집을 나왔다. 걸으며 큰길로 가 택시 태워 보냈다. 그 후 우리는 급격히 가까워졌다. 회사에서 우리는 그전과 같이 대화를 눈에 띄게 하지 않았지만, 우동 집에 가자는 말은 우리만의 규칙이 되었다. 금요일 밤이 되면 누가 먼저랄 것도 없이 우동집에 가자는 톡을 보내고, 우리는 서로의 삶과 마음을 쏟아내곤 했다. 같은 직무끼리라서 그런지 취향도 생각하는 것도 비슷했다. 그러다 동호회 얘기가 나왔다.

"혹시 너, 지금 하는 동호회 재미없으면 나 하는 데로 올래?"

"등산이요?"

"나, 여기에서 얘기가 통하는 사람이 별로 없어서 심심해. 유부가 좀 많아."

"독서 모임은 좀 불편하긴 해요. 조용하다고 다 책을 막 많이 읽는 건 아닌데."

하면서 서로 낄낄 웃었다. 나는 '그건 그렇지' 하며 고개를 끄덕였다.

"동호회 바꿔도 뭐라 하는 사람은 없으니까, 그냥 들어와."

희주는 잠시 생각하더니, 언니가 있으면 그래도 의지가 될 것 같아요. 라며 웃었다. 희주가 동호회에 들어오면, 보통 등산 후 점심을 다 같이 먹으니까 오후에 별일 없을 때는 둘이 시간을 보내자며 계획을 짰다. 마음 맞는 친구를 사회에서 만난 자체가 놀랍기도 했다. 사회생활 하면서 이렇게 편한 사람은 처음이었다.

- 언니, 시간을 돌릴 수 있으면 그날로 돌아가고 싶어요. 그 후에도 몇 번이나, 몇 번이고, 곱씹어봤어요. 하지만 역시 그날로 돌아가서 그저 지금 이 관계가 좋다고, 퇴근 후 우동집에서 한잔이 우리에게 가

장 어울린다고 할 걸. 그날을 떠올리며 울었던 날들이 지금 저를 재로 만들었겠죠.

떠올려야할 이유가 달리 없다면 평생 잊고 살 만큼 특별한 날이 아니었다. 그저 기분이 좋았고 같이 동호회 하자고 말한 것뿐이었다. 적어도 내 기억엔 그랬다. 희주의 편지는 한 줄, 한 줄 마음 한편을 쿵 내려앉게 했다. 나의 시간과 희주의 시간은 다르게 흘러갔었던 것일까?

그다음 날 바로 희주는 동호회 변경 요청을 했다. 딱히 존재감이 없는 우리였기에 그녀가 새로 들어오는 것도 등산하는 날 처음 아는 사람들이 많았다. 같이 등산화를 사거나 등산용 양말, 물통, 가방 따위의 것들을 사면서 우리는 더욱 얘기할 것이 많아졌다. 그만큼 더 자주 만났고, 톡도 자주 주고받았다. 정 붙일 사람이 없어서 심심했던 나도 등산하면서 같이 대화할 상대가 생겨서 좋았고, 우리가 등산하며 대화하는 것을 본 회사 사람들은 우리의 친분도 눈치를 챘다. 등산하며 희주는 가끔 남자친구에 관한 이야기를 했다. 5살 더 많은데 취업 준비를 오래 했다고 했다. 그동안 희주도 살아남느라 크게 생각하지 않았지만, 시간이 마음보다 빨리 지나 벌써 결혼할 나이가 되어버린 것이라고 했다. 지금 그녀에겐 결혼을 위한 자금을 마련하는 것이 목표이고 그것 때문에 끊임없이 일 해왔던 것이라고 했다. 친구들이나 부모님이 남자친구의 능력 부족이 아니냐, 라는 말을 해 올 때마다 속상해서 점점 연락하지 않게 되었다고 했다. 처음엔 무시하려고도 했지만, 만날 때마다 한마디씩 듣는 말이 점점 쌓여 성벽을 만들었다고 했다. 걱정한다는 명분으로 하는 말 한마디가 진흙을 바르고, 눈빛이 벽돌을 쌓다 보니 마음의 성벽이 견고해졌다고 했다. 그래서 지금 친구가 없으며 어느 날 잘되어서 다시 연락하고 마음 편하게 볼 날이 오지 않겠느냐고, 거리를 두니 마음은 오히려 편하다고 했다. 정상에 올라면 도시를 바라보며 농담처럼 우리는 저 중에 빌딩 하나만 있어도 이런 걱정 안 할 텐데, 하며 웃었다.

같이 할 사람이 생겨서 그런지 등산은 일주일 동안 기다려질 만한 취미가 되었다. 둘레길은 금방 돌 수 있고, 북한산 승가봉까지 찍을 수 있는 체력이 되었다. 그동안 취미도 없었다는 희주가 살랑한 바람이 불 때 땀을 닦으며 언니, 저는 이럴 때 제일 좋아요. 라며 웃을 때 같이 기뻐졌다. 그런 변화를 동호회 사람들도 느꼈고, 회사에서도 하나, 둘 챙기려고 하는 모습이 보였다. 등산하며 오다가다 얼굴을 익힌 회사 직원들은 어제 야근했는지, 커피는 어떤 걸 좋아하는지 같은 사소한 것들을 물어보고 희주도 점점 대답이 길어졌다. 다른 사람들과 어울리려고 노력하는 모습에서 왠지 모를 뿌듯함도 느꼈다. 맑고 선선한 날이 이어지던 때, 동호회 단체방에 공지가 떴다.

〈이번 등산에 대표님 참석 가능성 높으니 되도록 많이 참여해 주시고, 뒤풀이도 많은 참석 부탁드립니다.〉

처음 있는 일이었다. 희주에게 바로 톡을 했다.

선영: 희주야, 대박 사건이다. 드디어 대표가 나온단다

희주: 그게 왜 대박이에요? 불편할 것 같은데

선영: 대표 금수저잖아. 셀럽들도 엄청 많이 아는 마당발이래. 나는 대표 궁금했거든

전화를 받으며 지나가는 희주가 눈웃음을 찡긋해 보였다. 입 모양으로 '남친'이라면서 나가는 얼굴엔 미소가 만연했다.

대표는 주로 회사 안에 있기보다 외근이 많았고, 거래처 미팅이나 PT를 주도하고 투자처를 도는 등 외부 일을 많이 했다. 그러면서도 명품 브랜드 앰배서더 연예인과 함께 찍힌 사진이 SNS에 게재되거나 짧은 연예 기사에 뜰 때도 있었다. 나와 별 나이 차이 나지 않던 대표는 동경과 질투와 호기심을 번갈아 가며 자극했다. 마당발인 대표의 인맥을 찾아보는 것은 지루한 일상 속 나만의 취미였다.

대표가 오기로 한 날은 처음으로 우리가 문수봉으로 가는 날이었다. 대표는 체력이 좋아 그동안 난도가 낮은 등산에는 참여를 안 했던 것이라는 소문이 돌았다. 오늘부터 더 자주 나올 수도 있다는 뜻이기도 했다. 아침의 햇빛은 따사로웠고 가끔 부는 바람은 땀을 식혀주기에 충분했다. 등산하기 딱 좋은 날이었다. 늘 시간에 딱 맞춰 나오던 희주가 그날은 미리 나와 있었다. 또 다른 점은 얼굴 가득, 아니 온 몸으로 불안함을 내뿜고 있었다. 입술을 깨물었다, 핸드폰 잠금 화면을 풀었다, 톡을 열었다, 잠갔다, 주머니에 넣었다 다시 꺼내기를 반복했다.

"혹시 대표 온다고 해서 불안해?"

"아니요, 사실 오빠가 어젯밤부터 연락이 안 돼요."

"어젯밤? 몇 시?"

"어젯밤 9시 이후부터 연락이 잘 안 돼요."

"그래? 무슨 일 없을 거야. 피곤해서 일찍 자거나 뭐, 술 마시고 뻗거나?"

"그럴까요? 술도 잘 안 마시는데"

"너무 걱정하지 마. 일어나면 연락하겠지. 오래 만났는데 그 정도는 알잖아."

"그렇긴 해도..."

희주는 말끝을 자주 흐리며 핸드폰을 만지작거렸다. 그때 동호회 회장이 넉살 좋게 껄껄 웃으며 큰 목소리로 외쳤다.

"오늘의 주인공, 대표님 오셨습니다."

모두 일어나 인사를 하며 너스레 떠는 말들이 여기저기 들려왔다. 대표는 SNS에서 본 것처럼 잘 자란 티가 나는 여자였다. 나의 질투, 호기심과 동경을 자극한 모습 그대로였다. 관리가 잘 된 몸매와 얼굴, 태생부터 사랑 받아온 자의 뽀얀 미소, 적당히 큰 키와 당당한 태도, 아는 사람만 알아보는 비싼 브랜드의 등산복까지.

"여러분, 오늘 정말 좋은 날이네요. 만나서 반갑고 편하게 대해주세요."

높지 않은 톤의 목소리였지만 귀에 꽂힐 만큼 힘 있었다. 웃음이 많았고 호탕해 보였다. 살아온 날의 굴곡이라고는 없을 것 같았다. 저래서 마당발이구나, 싶었다. 포용력 있어 보이면서 고급스러운 분위기에 자신감이 넘치는 태도는 누구나 선망하는 것이었다.

"대표 있잖아, 살면서 거절 한 번도 안 당해 봤을 것 같지 않아?"

대답이 없길래 희주를 돌아봤는데, 희주는 대표 쪽은 보지도 않고 핸드폰만 바라보고 있었다. 톡을 열었다, 닫았다 하며 입술을 잘근잘근 씹고 있었다.

"희주야, 남자친구랑 무슨 일 있는 거야?"

"아... 아니에요. 대표님 오셨네요? 이제 올라가겠죠?"

내가 보는 걸 느낀 희주는 그제야 핸드폰을 주머니에 넣었다. 궁금하기도 하고 걱정도 되었지만, 오지랖 부리지 말아야지, 생각하며 더 이상 묻지 않았다. 희주는 깊이 들어가는 질문에 당황하거나 난처해하는 것이 투명하게 보이는 사람이었다. 내가 더 말을 걸지 않으면서 대화는 사라졌다. 우리는 동호회의 끄트머리 쪽에서 앞사람들을 따라가는 자리에 섰다. 대표를 필두로 산행이 시작됐다.

침묵 속 산행을 하다 보니 가을 산이 내는 소리에 귀가 열렸다. 떨어진 낙엽이 바스락거렸고 청설모가 나무를 타며 내는 소리는 타악기의 리듬 같았다. 잎새로 비치는 햇살이 따스했고 눌어붙은 머리에 숨구멍을 터주는 바람은 시원했다. 바위 사이를 계곡물이 굽이굽이 치는 소리는 이제 쓸쓸한 감이 있지만 오감이 평화를 느끼고 있었다. 한편으로는 희주가 무슨 일이 있는지 궁금했다. 지금은 물어볼 때가 아니라고 생각이 들었기에 먼저 말해주길 기다리는 마음도 있었다. 흘긋 희주를 보니 세상에 오로지 계단과 자신만 있는 듯했다. 나무 데크 계단을 하나씩 오르며 생각의 산에서 헤매고 있는 것 같았다. 눈은 분명 바닥을 보고 있었지만, 계단이 끝나는 지점인 것도 모르고, 다리를 올리다가 엎어질 뻔했다.

"희주야!"

놀란 나는 희주를 잡았다. 희주는 그제야 내 눈을 바라봤다. 생각의 벼랑 끝에서 건져낸 것 같았다. 화가 나 보이기도 했다. 얼굴에 홍조가 올라왔고 눈에 핏줄이 서 있었다. 목소리가 나오지 않는지 입을 열었는데 쇳소리가 났다. 희주의 불안정한 눈동자가 차츰 자리를 잡고서야 목소리도 나왔다.

"아, 언니 고마워요."

"조심해야 해. 여기는 잘못하면 굴러떨어지기 쉬운 곳이라."

더 이야기 해줄까 기다렸지만, 침묵이 우리 사이를 채웠다. 동호회 회장이 이곳이 마지막 화장실이라고 하며 다들 지금 다녀오라고 안내할 때까지 희주는 멍한 얼굴이었다. 동호회 회장의 말이 떨어지자마자 전화를 걸며 사라졌다. 나는 잠시 혼자가 되었다.

"왜 혼자 있어요?"

말을 건 것은 대표였다. 가까이서 보니 눈이 깊숙했고 중성적인 향이 훅 풍겼다. 매력적인 얼굴이었지만 가까이하기 힘든 아우라가 느껴졌다. 친근하게 대하지만 어딘가 칼 같은 면모가 있을 것 같았다. 어디에서 그런 분위기가 나오는지 알고 싶어질 정도였다.

"같이 온 동생이 잠깐 전화하러 갔어요."

"그럼, 저랑 말동무 해주세요."

하며 싱긋 웃으니, 긴장이 풀렸다. 대표라고 생각해서 내가 더 어렵게 느낀 게 아닐지 생각했다. 대표는 주위의 풍경을 가지고 이야기하길 좋아했다. 돌로 된 길을 걸으면 돌로 만든 성을 그대로 살려 대대손손 살고 있다는 프랑스 친구 얘기를 했고, 천연 재료로 만든 건축물에서 얼마나 감성을 자극받았는지 떠올렸다. 그러면서 건축의 미를 살리겠다며 자연을 훼손하고 폐기물이 나오는 것이 얼마나 끔찍한 일인지 설명했다. 인간이 환경에 얼마나 암 같은 존재인지 열변을 토했다. 숲 한편에 바스락 소리가 들리면 동물들이 지나갈 수 있는 야생 동물 전용 터널에 대해 어떻게 생각하는지 묻고, 유튜브에서 보고 필요성을 절실히 느낀다고 했다. 인간의 이기심으로 원래 살고 있던 동물들의 터전을 해치고 목숨마저 위협하는데 예산이 많이 든다며, 쓸데없는 돈 낭비라고 하는 것은 말이 안 된다고 했다. 자신감 있고 다가가기 어려운 느낌은 그녀가 하는 말이 다 맞기 때문이라고 결론지었다. 어떤 눈치도 보지 않고 하고 싶은 말을 다 하면서, 사랑받을 수 있는 것은 그녀가 그런 배경을 가졌기 때문이지 않을까? 그녀는 상식적이고 바른 사람, 잘 자란 부르주아였다. 좋은 사람인데 정작 나는 내 얘기를 꺼내기 힘들었다. 내가 할 수 있는 말은 '그렇죠, 사람이 제일 나빠요.' 밖에 없었다.

그 순간 희주와 우동집에서 소주 한 잔이 간절해졌다. 새 이가 나는 것처럼 입안이 간질간질했다. 대표의 이야기를 듣고 맞장구를 치다 희주가 뒤에서 우리 이야기를 들으며 같이 걸어왔다는 것을 알아챘다. 희주와 눈이 마주쳐 입 모양으로 '무슨 일 있어?'라고 물었고 희주는 아까보다는 한결 편해진 표정으로 고개를 저었다. 다행이네, 하고 나도 웃어 보였다. 대표는 희주를 보고 멈칫 하더니,

"두 분 친하신 가 봐요."

"정희주라고, 저와 같이 웹디하고 있어요."

희주는 눈을 보지 않고 꾸벅 인사했다. 그러고는 내 뒤쪽으로 빠졌다. 마침 동호회 회장이 대표를 데려갔고 우리 둘이 남았다.

"언니, 대표랑 많이 친해졌나 봐요?"

"되게 수다 잘 떤다. 근데 난 너랑 얘기하는 게 더 편해."

"그렇겠죠. 저 사람은 바른말만 하니까."

희주는 대표의 뒷모습을 눈으로 끝까지 쫓았다. 아까보다 표정은 한결 편해 보였으므로 나중에 술 한잔을 하면서 오전의 일은 묻기로 했다. 점심은 근처에 있는 고깃집으로 향했다. 희주는 빠지려고 하다가 '대표도 왔고, 점심이니 밥만 먹고 가라'는 동호회 회장의 권유에 마지못해 앉았다. 반찬이 나오는 사이 희주의 전화에 진동이 한 번 울렸고 진동이 울리고 전화번호가 뜨자마자 희주는 일어나 종종걸음으로 나갔다. 다시 돌아온 희주는 앉자마자 내게 귓속말했다.

"언니, 남자친구가 데리러 온대요. 오늘 수다는 못 떨겠어요."

"연락됐나 보다. 다행이네."

그런데도 가끔 정신이 딴 데 가 있는 모습이었다. 젓가락을 떨어트려 놓고 숟가락을 가져온다든지, 반찬을 덜어놓고 새로 떠 오는 등 허둥지둥하는 모습이었다. 자리가 끝날 때쯤 희주는 먼저 밖으로 나와 있었다. 나도 짐을 챙겨 나오는데, 골목 초입에서부터 키는 180 정도 되어 보이고 마른 체형의 남자가 항공 점퍼를 입고 걸어왔다. 희주가 남자를 향해 걸어갔다. 남자친구가 데리러 온다더니 왔나 보네, 하고 지나려는 순간 뒤에서 대표의 목소리가 들렸다.

"상욱이? 상욱이 아니야?"

반가움에 톤이 먼저 올라가고, 이윽고 몸이 나가는 대표였다. 내 옆을 스치며 남자를 향해 걸어가는데 완벽하게 수정한 화장과 땀 냄새가 전혀 나지 않는 것이 방금 등산한 사람 같지 않았다. 당황과 반가움 반반 섞인 얼굴의 남자가 손을 들어야 할지, 흔들어야 할지 고민하는 찰나 희주는 걸음을 멈추고 뒤돌아 대표를 바라봤다. 그 순간 희주의 눈빛은 경계가 서려 있었다. 대표와 남자는 서로의 근황을 물었다. 들어보니 남자는 대학교에서 교환학생으로 갔던 독일에서 대표를 만났고 당시 교환학생들의 커뮤니티에서 친해졌다는 것 같았다. 희주는 그들의 대화 키워드를 하나씩 곱씹으며 듣는 듯 자리를 꼿꼿이 지키고 서 있었다. 나는 갈 길을 정하지 못해 희주 옆으로 천천히 가서 서 있었다. 사실 둘이 어떤 대화를 하는지 듣고 싶기도 했다. 동호회 회장이 와서 대표에게 다음 일정에 관해 물을 때까지, 그들만의 과거와 현재를 오가는 대화 속에 우리는 방치되었다. 대화에 열을 올리는 둘을 빼놓고 우리는 흑백 배경이 된 것 같았다. 마침내 대표가 자리를 뜰 때 희주와 눈이 마주쳤다. 대표는 생긋 웃으며 다음에 또 봐요, 라고 했고

"상욱아, 자세한 얘기는 다음에 만나서 하자. 할 얘기가 있어."

라는 말을 남기고 동호회 회장과 걸음을 옮겼다. 희주는 대답하지 않고 그저 대표의 뒷모습을 바라보고 있었다. 그리고 천천히 희주에게로 발걸음을 옮겨 가자, 하고 팔을 잡았다. 희주는 남자 쪽을 쳐다보지도 않고

"언니, 회사에서 봐요. 조심히 가세요."

라고, 오히려 내 쪽을 보며 인사를 꾸벅했다. 우리가 가까워진 후로 처음 있는 일이었다. 당황스러워서 어, 어, 하면서 손 인사인 듯 손사래인 듯 어정쩡하게 인사를 했다. 남자는 내게 인사하는 희주를 보고 같이 목례했다. 그 후 둘은 같이 걸어갔지만 내가 보는 앞에서는 단 한마디도 하지 않은 채 걸어갔다. 둘이 멀어지는 모습을 보고 나니 갑자기 피로가 몰려왔다. 등산의 여파와 잠깐이었지만 촉각을 곤두세웠던 것이 이유일 것이다.

편지를 다시 보니 새삼스럽게 희주의 표정이 기억났다. 당시에는 대표를 남자친구가 알고 있다는 사실이 여자로서 경계심을 부를 수 있을 거라 지레짐작했을 뿐이다.

휴일이 지난 후 회사에서 만난 희수는 다름없었다. 오히려 평소보다 밝은 표정에, 가끔 눈이 마주치면 미소 짓기도 하는 모습에 안심이 됐다. 이 정도면 물어봐도 되겠지 싶어 커피를 마시며 운을 뗐다.

"그때 무슨 일 있었던 거야? 궁금하기도 하고 걱정도 돼서 말이야."

"언젠가 언니한테는 다 얘기해줄게요. 지금은 아직 아닌 것 같아요."

다음에요, 하며 입꼬리만 올려 웃었다. 그냥 그 말을 믿기로 했다. 희수는 평소와 같았지만, 누군가의 기척이 느껴지면 황급히 핸드폰을 뒤집는다던가 검색 창을 모두 지웠다. 희주가 옆에서 어떤 검색을 하면 기록이 하나도 없었다. 저렇게 철두철미했나, 싶었다. 그 무렵 우리에게는 대표라는 새로운 대화 주제가 생겨 더 자주 톡을 주고받았다. 처음엔 조심스러웠지만 그 일이 있고 난 후 희주도 나와 같이 관심 있어 하는 것 같았다. 연예인 가십을 이야기하듯 나는 대표가 친한 셀럽의 SNS에서 그녀의 사진을 발견할 때 우리 톡방에 사진을 올리고 호들갑을 떨었다. 그녀는 틀린 말을 좀처럼 하지 않고 좋은 사람인 것을 알면서도 흠을 찾고 싶었다. 그래야 왠지 나와 같은 눈높이의 사람이 될 것 같았다. 희주와는 공통 주제로 대화를 나누는 것이 재밌었다. 그 대상이 누구나 아는 흔한 사람이 아닌 것도 우리를 특별하게 이어주는 것 같았다. 작은 차이라면 나는 대표가 누구와 있는지를 더 궁금해했고 희주는 대표가 어디를 가는지를 궁금해했다. 그러면 나는 마치 사설탐정이 된 듯 사진 속 작은 단서들로 대표가 간 가게를 추측해 올리곤 했다.

그러던 어느 금요일 저녁, 오랜만에 우리는 우동집으로 향했다. 예고도 없이 변덕 부리는 밤 날씨는 코트를 여미고도 종종걸음을 걷게 했다. 우동집은 늦은 시각 국물을 찾는 사람들로 한, 두 테이블만 남아있었다. 조용해서 갔던 곳이었지만 그날은 대화하기 위해 목소리를 조금 높여야 했다. 각자 늘 시키던 우동과 어묵 우동을 시키고 기다리고 있었다. 사장 내외는 주문이 밀려 정신이 없어 보였다. 우린 느긋하게 기다리기로 했다. 기본 안주를 먹으며 일에 대한 이야기나 등산 동호회 사람들에 대한 이야기를 나눴다. 어디 팀 팀장이랑 어디 팀 사원이 둘만 외근 갔다 왔는데 그 후로 둘이 유난히 붙어 다니는 것 같다, 같은 시시껄렁한 이야기들을 나눴다. 희주는 그 둘의 이야기에 큰 관심이 없는 듯 소주잔만 바라보다가도 지금은 어떻게 지내는지, 둘 다

회사에 다니는지 궁금해했다. 팀장은 유부남이었는데, 사원이었던 여자가 보낸 톡을 보고 아내가 난리가 났다더라, 그동안 자기 몸을 찍은 사진을 보냈다더라, 그런데 그게 팀장이 시킨 거였다, 그래서 사원은 그만두고 어디 갔는지 잘 모르겠고 팀장은 다니고 있다, 물론 나도 소문으로 들은 거라 정확하진 않다고 했더니 희주는 고개를 끄덕였다. 소주 한 잔을 털어 넣더니 혀를 찼다. 그러면서 화제를 전환했다.

"언니는 관찰력이 좋아요. 어떻게 그 사진을 보고 거긴 줄 안 거예요?"

"안 그래도 여기 근처에 있길래 눈여겨보고 있었거든."

"펍은 다 비슷하게 생겼던데 사진만 보고 안게 신기해요."

"대표가 독일 맥주를 좋아하더라. 그런데 거기가 독일 맥주 좋아하는 사람들한테는 유명한 데더라고."

잠시 생각하더니 희주는 그곳으로 2차를 가자고 먼저 말했다. 희주가 소주를 좋아한대서 여태 우리는 펍을 가본 적이 없었다. 더 이야기를 나누고 싶었던 것도 있었기에 흔쾌히 일어섰다. 바빠서 잘 못 챙겨 드려 죄송하다며, 다음에 오면 더 잘 챙겨주겠다는 사장님의 말에, 다음에 또 올게요, 하고 문을 나섰다.

펍은 사람이 많았다. 직장인들끼리 온 자리는 지친 표정이지만 주말을 기대하는 목소리가 허공을 메웠다. 대학생들끼리 온 자리는 자기들끼리 대화하다 갑자기 웃음이 터지면 너도나도 뽐내듯이 큰 목소리로 떠들기 시작했다. 금요일 저녁의 취기는 우리 자리까지 이어졌다. 희주는 맥주 한 잔 들이켜더니 주위를 둘러봤다. 그러더니 나를 보며 물었다.

"언니 그 사진 한번 다시 보여줄 수 있어요?"

그말에 대표의 SNS에 들어갔다. 그런데, 그 사진이 지워져 있었다.

"어? 원래 이거 다음이 그 사진이었는데... 왜 지웠지?"

"지웠어요?"

당황스러웠다. 대표는 원래 사진을 지우거나 하는 사람이 아니었다. 그런데 왜 그 사진만 지웠을까? 다시 아무리 찾아봐도 없었다. 왜 사진을 다시 보여달라고 했는지 묻고 싶었는데 희주는 그새 맥주를 벌컥벌컥 마시고 있었다. 그러면서도,

"전 역시 맥주 맛을 잘 모르겠네요. 오빠는 좋아하던데."

"남친이랑은 괜찮은 거 맞지?"

"헤어지고 싶어도, 이제 헤어지는 게 뭔지 잊어버린 것 같아요. 저에겐 지금 그 사람밖에 안 남아서."

오래 만난 연인은 저런 걸까, 싶었다. 지난 산행 때를 떠올리니 냉소적인 말투지만 여전히 좋아하고 있다는 생각 들었다. 금요일 밤은 공기 속에 취하게 만드는 것이 있다. 많이 마시지 않았는데도 눈꺼풀에 눅진하게 피곤이 붙었다. 이제 가자며 주섬주섬 짐을 챙겨 나왔다. 희주는 오늘 핸드폰을 보지 않았다. 진동이 오는 게 들렸지만 받지 않았다.

"희주야, 전화 오는 것 같은데."

"안 받을 거예요. 지금 받으면 저 사고 칠 것 같아요. 그리고 언니..."

희주는 담배를 꺼내 물었다. 내 앞에서 담배를 피우는 건 처음이라 놀랐다. 알면 알수록 신기한 구석이 많았다.

"미안해요, 담배 하나 펴도 돼죠?"

"원래 폈던 거야?"

"가끔이요. 복잡할 때 딱 한 대."

비흡연자인 나도 독하다고 알고 있는 종류의 담배였다. 담배를 온몸에 밀어 넣듯이 깊이 빨았다. 내 반대쪽으로 바람을 따라 연기를 내뱉으며 말했다.

"그 사진의 모자 쓰고 있던 사람이 있었어요. 그거, 오빠예요."

이제야 오늘 착잡해 했던 모든 희주의 표정과 말투가 이해됐다.

"모자 쓰고 있어서 나는 몰라봤어."

"저도 오래 봤으니, 아는 거죠. 그 모자와 그 형태와 그 입꼬리 같은 거요."

희주는 비웃음 같은 미소를 지으며 담배를 다시 물었다.

"둘이 친구니까 만난 거 아닐까? 보니까 같이 있는 사람들이 꽤 있던 것 같던데..."

"만났다는 게 문제인 거예요."

희주의 눈엔 확신이 차 있었다. 대표는 물론 매력적인 여자였지만 본인의 말을 들어보면 절대 여자친구 있는 남자를 건드릴 것처럼 보이지 않았다.

"잠깐 대화한 거지만 대표는..."

"저도 대충 알아요. 그 사람. 하여튼, 언니 미안해요. 냄새 많이 나죠?"

"괜찮아, 이 정도는 뭐. 바람도 많이 부니까."

어색한 기분이 들었다. 내가 알던 희주가 아닌 것 같았다. 더 이상 동생처럼 대하기 어려울 것 같았다. 담배를 피워서 그런 게 아니었다. 한숨이 섞인 연기를 내뿜으며, 내게 확신에 가득 찬 표정으로 이야기 하며, 비린 미소를 짓는 게 여태 알던 것과 다른 어떤 것이 느껴졌다. 하지만 이상하게 그런 모습이 더 자연스러워 보였다. 나와 친해졌기 때문에 그런 모습도 보여주는 거라고 여겼다. 집이 더 먼 희주를 먼저 택시 태워 보내는 것은 습관 같은 거였다. 택시에 타며 차 문을 닫기 전

주말이 지난 후 희주의 자리는 종일 비어 있었다. 연락도 없었다. 그날 저녁 희주의 표정이 자꾸 마음에 걸려 팀장한테 물어보니, 아침 일찍 연차를 썼다고 했다. 내일이라도 오면 물어봐야지, 생각했다. 생각해 보면 내가 희주에 대해아는 것은 연락처밖에 없었다. 사는 동네 는 알아도 집 주소는 몰랐고, 희주의 친구들을 알 리도 없었다. 희주는 어떤 SNS도 하지 않았기 때문에 그녀를 알려면 직접 연락할 수밖에 없었다. 하지만 유일한 연락 수단인 톡이 되지 않으니, 어쩌면 내가 알 고 있던 희주는 진짜 실존하는 사람이 아니라 내 상상 속의 사람이 아 니었을까? 하는 착각이 들기 시작했다. 그만큼 우리가 실로 옅고도 희 미한 관계였다는 것에 묘한 기분이 들었다. 다음 날 희주는 병가를 냈 다고 했다. 나는 희주의 몫까지 일을 해야 했으므로 야근이 불가피했 다. 하지만 그것보다 아무런 연락이 없는 것에 더 화가 나고 서운했다.

내일 나온다면 꼭 물어봐야지, 했지만 그 후도 연락이 없었다. 동호회에서라도 희주를 한번 본 사람들은 그녀의 안부를 내게 물었지만, 나역시 아는 것이 별로 없어 그저 '몸이 많이 안 좋나 봐요.'라고, 얼버무렸다. 병가를 오래 냈지만, 회사에서는 증빙 자료를 받지 못했고 그나마도 연락이 되었던 것은 수요일까지였다. 회사에서는 희주를 무단결근 처리했고 퇴사 절차를 밟고 있는 것 같았다. 희주와 나이 차이가별로 나지 않으면서도 요즘 젊은 사람들은 책임감이 없다며 수군대는사람들도 있었다. 찾아가 대신 해명을 하거나. 인사팀에 가서 그녀의집 주소를 알아낸다거나, 직접 찾아가 볼 만한 의리까지는 없었다. 이전이었으면 그런 오지랖도 부려봤겠지만, 그날 밤의 희주를 다시 볼자신이 없었다.

그녀를 본 것은 뜻밖에도 등산 동호회에서였다. 간밤 서리가 내린 겨울이었다. 바위가 미끄러우니 조심하라는 동호회 회장의 당부가있었고 대표는 신이 나 오늘의 코스를 얘기하고 있었다. 나는 그녀의SNS에 수시로 들어갔지만, 그 후로 업로드는 뜸했었다. 어쩌면 지금대표의 흠이 생기는 중인 걸까? 은근히 대표 삶에 균열이 생겼으면 했지만 희주에게 상처가 되길 바란 건 아니었다.

등 뒤에서 '언니'라는 목소리에 놀라 돌아보니 퀭한 눈이 먼저 들어왔고, 전보다 수척해진 희주가 있었다. 동호회 사람들이 흘긋대는눈빛이 느껴졌다.

"무슨 일 있었던 거야? 왜 연락도 안 하고 여기로 왔어?"

"저번에 약속했잖아요, 언젠가 얘기해 주겠다고."

약속이라는 두 글자가 강렬하게 들렸다. 하고 싶은 말이 많았는데, 대표가 굳은 표정으로 이쪽을 보고 있는 것이 느껴졌다. 희주도 눈치를 챘는지 대표 쪽을 바라봤다. 서로 보고 있는 사이에는 아무도 들어갈 수 없을 것 같았다. 둘 중 누가 먼저 말을 꺼내지 않았고 동호회 회장은 대표 눈치를 보다 우리를 출발시켰다. 퇴사했다고 해서 산을 못타게 할 순 없는 노릇이므로 다들 눈치만 보고 희주에게 선뜻 왜 왔냐, 산을 왜 같이 타냐 등의 질문은 하지 못했다. 불편한 공기 속에서 희주와 계단을 올랐다. 물어보고 싶은 말은 많은데 뭐부터 물어봐야 할지 정리가 되지 않았다. 마음 한편에는 희주에 대한 뜬소문이나 욕이 들렸어도 모르는 척했던 내가 비겁하다고 느껴졌다. 죄책감이 입을 꾹 짓눌렀다.

"언니, 저는 사실 이 회사에서 아무와도 연관되고 싶지 않았어요. 그냥 일만 하고 돈만 받고 그렇게 살고 싶었어요. 언니가 제 변수예요."

먼저 말을 꺼낸 건 희주였다.

"저번에 팀장이랑 사원이랑 있었던 일 얘기한 거... 그런 일이 저한테도 있었어요. 그 전 회사에서. 그때 저는 모든 사람에게 투명했었어요. 제가 오빠와 같이 사는 것도, 그때 바쁜 오빠에게 불만이 많고 서로 잠자리도 하지 않은 지 오래됐다는 이야기까지, 가감 없이 회사 사람들과 얘기하기도 했어요. 언젠가 회식이었는데 한, 두 명씩 사라지더니 나중엔 저와 과장만 남았던 거죠. 취기에 그런 이야기를 늘어놓

앉고 과장은 틈을 놓치지 않았어요. 그때 저는 20대 후반이었고, 과장은 능숙하게 마음을 파고들었어요. 그날 자게 되었고 그 후 몇 번을 회사 밖에서 불러냈어요. 그럴 때마다 술 한잔을 하자며, 회사 얘기를 하다가 자신의 결혼 생활에 대해 한탄하다가 결국은 잠자리였죠. 과장은 점차 요구하는 것들이 많아졌어요. 제 삶에 비집고 들어오고 결국 우리 집 앞에서 차를 대고 기다리는 모습까지 보게 되었어요. 남자친구에게 말하겠다며 협박도 했어요. 회사에서 얼굴을 마주치는 것도 지옥 같았어요. 하지만 이 일이 어딘가에 알려지는 순간 '상간녀'가 되는 건 순식간이라고 생각했어요. 저는 동거를 그만해야겠다고 하고, 최대한 먼 곳으로 이사를 했어요. 핸드폰 번호도 바꾸고 회사를 그만두면서 그리고 몇 번의 이직을 거쳐 이 회사에 들어오게 된 거예요."

말투는 덤덤했지만, 눈엔 분노가 일었다. 과장에 대해 말하면서는 입꼬리를 샐룩거렸다.

"남자친구는 그때 제가 헤어지자고 하는 뜻이라고 받아들였어요. 그래서 자기가 여태 잘못한 게 많다고 잘하겠노라고 빌기까지 하더라고요. 저는 죽을 때까지 그 사실을 모르게 하고 싶었어요. 남자친구 얼굴을 볼 때마다 미안한 마음이 더 커지기 시작했어요. 도망가고 싶었어요. 어디든. 그 후에는 누구에게도 제 얘기를 하고 싶지 않았어요. 처음부터 저에 대해 너무 많은 걸 알리고 다닌 제 탓이라고 믿었어요."

몰아치는 이야기에 탄식이 새어 나왔다. 어떤 말을 해야 할지 모르겠기에 말을 고르고 있었다. 희주는 작정하고 온 모양이었다. 내 대답은 중요하지 않다는 듯 바닥을 보며 꾹꾹 말을 이었다.

"그렇게 새로운 회사 가고, 새로운 일을 하고, 새로운 사람들 속에 있다 보면 다 잊을 거로 생각했어요. 이사도 했고, 어차피 이곳엔 제가 알고 지내던 사람이 없으니까, 인생을 리셋하는 거라고 여겼어요. 서 대표를 보기 전까지는, 제 삶이 돌아온 것처럼 보였어요."

희주는 그렇게 얘기하고 헛기침 같은 웃음을 낸다. 나도 모르게 이야기를 들으며 숨을 참고 있었던지 그제야 숨을 쉬어야겠다, 생각했다. 깊이 숨을 들이쉬니 제법 찬 공기가 폐부를 훑는다. 기침이 나올 듯 말 듯 했다. 이야기를 듣다 보니 어느새 정상에 다다랐다. 쉬어가는 시간이었다. 희주는 물을 한 모금 마시며 풍경을 바라봤다. 장엄한 바위산에 스산한 바람이 굽이쳤다. 사람들은 아무렇게나 바위 위로 널려진 듯 둘, 셋씩 모여 앉아있었다. 멀리 보이는 도시와 맞닿은 하늘이 시리게 푸르렀다. 말없이 우리는 풍경을 바라보고 있었다.

"근데 언니 아무도 모르면 없던 일이 될까요?"

"…"

그때 이제 산에서 내려가자는 동호회 회장의 말이 들려왔다. 일어서면서 대표와 눈이 마주쳤다. 대표도 이쪽을 주시하고 있었다. 다들 내려가려고 채비하는데 대표가 우리 쪽으로 걸어왔다.

"희주 씨, 나랑 얘기할 게 있지 않아요?"

"네. 길어질 테니 다들 내려가면 얘기해요."

희주는 웃었다. 희주는 내게 눈짓하며 먼저 가라고 신호를 줬다.

나는 천천히 내려갔다. 대표는 팔짱을 끼고 희주를 보고 있었고 희주
는 코트에 손을 넣고 미소 짓고 있었다.

그날 대표는 혼자 산에서 내려왔다. 아무도 희주에 관해 묻지 않
았다. 마치 처음부터 없었던 사람 같았다. 왁자지껄한 점심 자리에서
도 대표는 차분했고, 생각이 깊어 보였다. 궁금했지만, 물어볼 수 없
었다. 한동안 등산 동호회는 활기를 잃었다. 대표가 더 이상 나오지 않
았기 때문이다. 항간에는 이제 다른 동호회에 더 신경을 쓴다는 말도
들려왔다. 하지만 다른 동호회에 대표가 왔다는 얘기를 들은 적은 없
었다.

그리고 얼마 후, 대표는 혼자 겨울 산에서 내려오다 실족사했다.
보이지 않는 얼음이 얇게 낀 바위를 잘못 디뎠다고 했다. 등산 동호회
에서 단체로 조문을 갔다. 혹시나 희주가 있을까 싶었지만 없었다. 젊
고 아름다운 여자의 영정 사진은 영 어색했다. 당장이라도 저 뒤에서
등산복을 입고 나올 것만 같았다. 그녀의 SNS는 추모의 댓글이 이어
졌다. 하지만 일주일 정도 지나자 현저히 그 숫자는 줄어들었다. 몇 달
뒤 궁금해서 찾아봤을 땐 새로운 댓글이 단 한 개도 없었다.

회사는 대표의 먼 친척이 운영하기로 했다. 오자마자 여러 가지 입
맛에 맞게 회사를 바꾸려고 하는 게 보였다. 특히 등산 동호회는 바로
없앴다. 그리고 희망 퇴직자를 받았다. 짐을 챙기며 바라본 희주 자리
는 비어있었다. 물컵과 펜 하나만 놓았기에 희주가 있어도, 없어도 자
리는 늘 같았다. 잠깐 화장실 다녀왔다면서 다시 앉아도 이상하지 않
을 것 같았다. 어수선한 분위기 속 나 혼자 동그마니 놓인 기분이었다.

희주는 그 사이 핸드폰 번호도 바뀐 것 같았다. 시시한 날들을 채웠던 우리의 대화는 알 수 없음이라는 이름이 대체했다. 그 겨울 희주는 사라졌다.

돌아온 희주는 편지 속에 있었다.

-아무도 모르면 없던 일이 될까요? 이제 언니는 답을 찾았나요?

서효정, 그러니까 그 대표는 오빠랑 알고 지냈던 사이라고 했죠. 저는 사실 그 사람의 얼굴을 과장의 핸드폰에서 본 적 있어요. 보게 만든 건지, 정말 우연이었는지는 모르지만, 술을 마시다 화장실 가면서 핸드폰을 두고 갔고 알람이 울리기에 봤을 뿐이었거든요. 과장의 SNS 채팅에 뜨던 사람이었죠. 둘이 주고받은 내용도 기억나요. 그 과장에게 선배, 선배 하던 여자의 프로필은 서효정이였어요. 그런데 과장이 서효정에게 이 관계를 얘기한 것 같았어요. 허세 있고 으스대는 남자들이 하는, 나 아직 안 죽었어! 하면서 저를 갖고 얘기했던 거죠.

'선배, 그거 아내가 알면 큰 상처예요. 그만하셔야 해요. 그 여자가 먼저 유혹했다고 해도 선배가 그러면 안 되죠.'

어떤 대화를 했는지보다 이 관계를 아는 사람이 있다는 사실은 저를 옥죄었어요. 저는 그전까지는 잘못된 관계라는 게 잘 와 닿지 않았어요. 외로웠던 것도 맞았으니까요. 그냥 서로 원하는 걸 채우다가 조용히 헤어지듯이 끝내면 될 거라는 생각도 했어요. 저 과장도 유부남이니까, 제가 마음만 먹으면 더 유리하다고 생각했어요. 하지만 과장의 아내를 더 걱정해 주는 사람 앞에 저는 그저 상간녀가 된 기분이었어요. 그러다 보니 점점 남자친구가 이 사실을 알게 되는 것이 두려움으로 다가오고 있었어요. 그 메시지를 보고서야 알게 된 거죠. 그걸 눈치챈 과장은 강하게 나왔어요. 어차피 너는 그래도 상간녀가 될 거라면서, 지금 남자친구랑도 헤어지게 될 거고 이 바닥 소문나는 건 한순간이다.

그 무렵 꿨던 악몽이 있어요. 회사 사람들이 대화하면서 웃다가 돌연 저를 향해 손가락질하고 제 몸에는 꼬리가 자라나요. 털도 없고 지방 덩어리에 핏줄이 서 있는 모습이 흉측한 꼬리였어요. 저는 그걸 떼어내려고 가위로 잘라내요. 자른 자리마다 꼬리는 다른 모습으로 수갈래로 나누어지면서 또 새로 생겨요. 자르고 자르면서 바닥은 피투성이가 되고 꼬리는 더 많은 꼬리를 만들어요. 저는 끊임없이 꼬리를 자르고 있는데 손가락질하던 사람들은 저를 둘러싼 채 구경하고 있죠. 그 가운데에 경멸하는 눈으로 그 여자가 절 보고 있어요. 그러다가 깨는 거예요.

어디서부터 잘못된 건지 알 수 없었어요. 다만 벗어나고 싶은 마음뿐이었어요.

과장은 평소 술을 좋아했죠. 그건 회사 사람들도, 가족들도 아는 사실이었어요. 그래서 정말 살짝 밀었을 뿐이에요. 제가 별 보러 가자고 한 곳을 과장이 음주운전을 해서 갔다는 것과, 인적은 드물고 차들은 쌩쌩 달리고, CCTV가 없는 곳을 갔다는 것이 문제였겠지만요. 먼저 과장의 핸드폰에 있는 저와 관련된 모든 걸 지웠어요. 신고를 했고,

경찰에게는 음주운전을 해서 저를 데려가며 회사 일에 대해 의논 하고 싶어 했다는 것도 얘기했어요. 상사의 명령이라 어쩔 수 없었다고 했어요. 나름대로 회사 사람들이 저에 대한 증언을 잘 해줬어요. 특히 과장이 음주 운전 전과가 있다는 것이 크게 작용했죠. 블랙박스가 마침 고장이 난 것도 운이었겠죠. 저는 그 일로 인해 정신적인 타격을 입었고, 그래서 회사를 그만둔 걸로 할 수 있었어요. 그 과장을 친 트럭 기사는 저의 구원자였어요. 본인은 모르겠지만. 과장이 중환자실로 갔고 쉽게 깨어나지 못할 거라는 얘기를 듣고서 안도하기도 했어요. 회사도 그만뒀고 집도 옮겼고 이제 아무도 모를 거로 생각했죠. 오빠는 제게 미안하다고 무릎 꿇었어요. 헤어지지 말자고 빌었어요. 저는 결론적으로 잘 됐다고 생각했어요. 그게 제 첫 번째 인생의 마지막 장면이에요.

그 후로 잊으려고 노력했어요. 나만 잊으면 없던 일이 될 거고, 겨우 새로 옮겨 온 제 두 번째 인생이니까요. 그런데 꿈은 계속되더라고요. 기분이 좋았던 날은 더더욱 선명하게 꿨어요. 이제는 그 꼬리에서 과장의 얼굴이 나오기 시작했어요. 과장 얼굴을 잘라버리는 저와, 피투성이가 되어서도 끝없이 자라나는 과장은 기괴하고 끔찍했어요. 그런 꿈을 꾸는 날엔 새벽부터 일어나 오빠의 연락을 한없이 기다렸어요. 답장이 와야 안심이 됐어요. 제게 이 관계는 그런 모든 일을 겪고도 지켜낸 것이었어요. 남자친구는 저의 불안을 사고의 잔해로 여겼어요. 스스로 다룰 수 없이 불안정한 날들을 옆에서 지켜본 후에, 눈에 띄게 노력하는 모습이 보였어요. 소홀함에 대한 불만이 그로서 해

소됐죠. 잊기 힘들 거로 생각했던 사고도, 사건도 결국 눈앞의 변화에 만족하게 되는 순간 점점 잊혔어요. 그렇게 일상을 서서히 되찾을 즈음엔 꿈꾸는 날도 잦아들었어요. 없었던 일에 제가 상상력을 불어 넣어 손에 잡히는 듯 생명력을 준 것뿐이라고 믿었어요. 난 작가가 되어서 없었던 일을 머릿속에 잔뜩 만들어 놓고 너무 몰입한 나머지 실제로 일어났다고 믿는 거였죠.

잠깐 마트에 뭘 좀 사러 나갔다 왔더니 해가 짧아진 것이 보여요. 갈때는 긴 그림자가 있었는데 올 때는 어둠에 가려졌어요. 언니, 그림자는 사라지지 않잖아요. 어느 때 사라진 듯 보이다가 때가 되면 길게 드리우죠. 눈치를 챌 때는 이미 발밑으로 내 키를 넘길 때예요.

그런 그림자가 저한테는 서 대표였어요. 분명 사라졌는데, 그 일을 기억하는 사람이 나타난 거예요. 그 과장이 말한 사람이 나였다는 걸 서 대표는 모를 것으로 생각했어요. 그럼에도 오빠의 지인이 되는 순간엔 한기가 어깨를 감쌌어요. 없던 일이 되려면 아직 남은 게 있네, 생각이 문득 들었어요. 내 생각인지 누가 내 귀에 속삭인 건지는 모르죠. 그날은 정말 오랜만에 악몽에 시달렸던 날이었어요. 언니가 무슨 일 있냐고 했던 날이었죠. 그래서 똑같이 답을 기다리며 애태웠던 시간이었어요. 둘이 대화할 때 저는 문득 그 과장의 SNS가 떠올랐어요. 마지막까지 전 그 사람이 저를 모를 거로 생각했어요. 그렇게 믿고 싶었어요. 그 일을 생각하면 남자친구에 대한 죄책감이 들어 괴로울 때가 많았어요. 그래서 더 이상 제 삶에 누가 개입하지 않았으면 간절히 바랐어요.

정말 둘은 독일 유학 때 잠깐 친했던 사이라고 하더라고요. 잘 알지도 않고 그날 본 게 몇 년 만이라면서 대표가 되어 있을 줄 몰랐다는 말에 안심이 되었어요. 그런데 며칠 뒤 저에게 그런 얘기를 했어요.

"효정이가 그런 얘기해 주더라고. 예전에, 동아리에서 알던 선배가 회사에서 여자 후배랑 바람이 났는데 그걸 그렇게 자랑하더래. 근데 그 선배가 유부였다지, 뭐야. 그래서 그만하라고 했는데 사고 났더라고."

그 후 저는 다시 꿈을 꿨어요. 오빠가 친구가 만나자고 했다면서 나간 곳이 그 독일 맥줏집이었죠. 그날 밤, 제 과거를 없애고 역사로 남기지 않기로 했어요. SNS에 가입해 메시지를 보냈어요. 너에게 할 말이 있다, 그 선배에 대해 알고 싶으면 나와라, 하고 그 펍으로 불렀어요. 생각보다 순순히 나왔던 서효정은 역시 바른말만 하더군요. 남겨진 가족들의 아픔을 아냐면서 연관이 있다면 자수했으면 좋겠다면서. 그 선배 말로는 먼저 유혹했다는데 바람만으로도 이미 상처를 준 것 아니냐면서요. 과장이 제 사진까지 보여주며 서효정에게 자랑했을 줄은 몰랐어요. 그 일로 직장도 그만두고 아픈 저에게 이런 식은 너무 하지 않냐고 물으니 여태 다른 사람들 앞에서 모르는 척해준 것만으로도 제게 온정을 베푼 것이라고 하더군요. 모르는 척은 서효정에게 '베푸는 온정' 같은 거였어요.

언니와 등산 동호회에 들게 된 날부터 제 두 번째 인생은 실패한 거였어요. 저는 그 펍에서 저도 생각할 시간이 필요하니 기다려 달라, 신변을 정리하고 같이 산을 탔으면 좋겠다, 무서우니 그 후에 같이 경찰서 가줬으면 좋겠다고 했어요. 약속된 날에 서효정은 밝은 얼굴이었어요. 아마 저를 갱생시켰다고 생각했겠죠. 정상에 다다를 때까지 서효정은 제게 끝까지 '상욱이에게는 내가 잘 말할게요, 차라리 다 털어놓으면 마음이 편해질 거예요.'라는 말을 했죠. 모르면 몰랐지, 척은 어디서든 티가 나기 마련이에요.

유난히 그날 바위에 살얼음이 꼈고 베테랑 등산가도 그런 날엔 미끄러질 수 있는 법이죠. 제아무리 모든 비밀을 알고 있는 현자라도 말이에요.

그 후 악몽에서 꼬리는 이제 두 갈래로 나왔어요. 서효정 머리가 계속 생겨나고, 과장 머리가 계속 생겨나고. 악몽을 꿀 때마다 저는 하나씩 태웠어요. 처음엔 종이 같은 것들이었고 나중엔 옷가지들이었어요. 하나씩 태우면서 제 기쁨도 슬픔도, 과거도, 진실도, 거짓도, 분노도, 미안함도 연기와 함께 날려 보냈어요. 정신을 차려보니 남자친구의 집도 태웠어요. 활활 타는 집을 보며 저도 같이 재가 되었어요. 이제 제게 남은 건 아무것도 없어요.-

편지를 다 읽을 때 쯤 초인종이 울렸다. 그리고 모르는 번호로 문자가 왔다.

-고객님이 요청하신 대로 문 앞에 두고 갑니다.

배달시킨 것도 없는데, 하면서 나가니 택배 박스 하나 동그마니 놓여 있었다. 열어보니 라이터와 재떨이가 있었다. 싱크대로 가 조금씩 편지를 태웠다. 그날 희주의 담배 연기처럼 희뿌연 연기가 조금씩 났다. 대표 장례식에서 태웠던 향의 연기 냄새 같은 것이 났다. 환풍기를 켜고 재가 된 편지를 물과 함께 배수구로 흘려보냈다.

편지는 아무도 모르는, 없던 일이 되었다.

비밀

이철희

이철희   이철희입니다. 저는 행복과 슬픔을 노래하는 작가입니다. 차가운 사회
보다 따뜻한 위로가 되는 글을 씁니다.

인스타그램: windstory12

12월의 편지

12월의 눈이 내린다. 어둠 속에 덩그러니 가로등 하나가 있다. 고개를 숙인 채 노란 불빛을 내리비추고, 빛의 도달점에 한 여자가 서 있다. 여자는 오후 7시부터 가로등 아래에서 무언가를 기다리고 있었다. 눈이 여자의 종아리만큼 차올랐지만 중요한 약속이지 그 자리에서 움직이지 않았다. 손에 하얀 봉투를 들고서.

뽀드득뽀드득

어둠 속에서 눈 밟는 소리가 들린다. 어디 즈음에서 들리는지 알 수 없다. 차분하고 일정한 간격으로 천천히 들린다. 여자는 소리가 들리는 곳을 바라만 본다. 발소리는 점점 가까워지고, 여자는 손에 들린 하얀 봉투를 움켜쥔다.

"김미진 씨 맞습니까?"

발소리는 가로등 아래에 멈추고, 검은 한복을 입은 젊은 남자가 등장했다. 남자는 다시 묻는다.

"김미진 씨 맞습니까?"

"네."

"저한테 그걸 주시죠."

여자는 하얀 봉투를 건넨다. 남자는 하얀 봉투를 받아 열어본다. 연필로 쓴 편지가 있었다.

"이걸로 충분하시겠습니까?"

"네, 그걸로 충분해요."

남자는 하얀 봉투에 편지를 넣고, 여자를 다시 바라본다.

"이제 계약이 성립되었습니다. 그 대신 대가가 따르는 건 알고 계십니까?

"네, 알고 있어요."

"후회하지 않으시겠습니까?"

"후회하지 않아요. 어차피 저는…"

여자는 울먹이면서 말끝을 흐렸다. 남자는 여자를 물끄러미 바라본다.

"다시 한번 말씀드리겠습니다. 계약이 성립되었고, 대가는 내일 아침에 반드시 치르게 됩니다. 후회하지 않으시겠습니까?"

"……."

여자는 잠시 망설이다가 힘겹게 고개를 끄덕인다.

"대답 잘 들었습니다."

남자는 뒤를 돌아 어둠 속으로 사라졌다.

눈은 소리 없이 계속 내리고, 가로등은 빛을 내리비치고, 빛의 도달점에는 여자가 주저앉아 흐느끼며 울고 있다.

남도근에게

지금 그곳에서 잘 지내고 있니? 아프지 않고 행복하게 잘 지내고 있지? 나는 잘 지내고 있어.

그때 기억하니? 너랑 처음 만났던 날. 버스터미널에서 만나기로 약속하고, 너는 대기실 의자에 앉아 나를 먼저 기다리고 있었어. 나는 인파 속에서 헤매다 앉아 있는 너를 발견하고 다가가 말을 걸었어. 고개를 돌려 나를 바라보자 너는 얼굴을 붉혔지. 나는 그 모습에 당황했어. 나와 걷는 둘레길, 카페에서도 계속 그런 모습에 몸이 좋지 않은 것인지 걱정했거든. 그래서 어디가 아픈지 걱정되어 눈을 마주치면 너는 부끄러워하며 다시 얼굴이 붉혔지. 그게 우리의 첫 만남이었고 너의 얼굴처럼 우리 사랑도 그렇게 흘러갔어.

우리는 서로 가난했지만 이대로도 행복했어. 낡은 원룸에서 같이 자고 일어나면 아침에는 라면과 밥, 김치를 먹고, 데이트하면 분식집에서 떡볶이와 순대에 어묵 국물을 먹어도 좋았어. 혹시 그때 기억나니? 지하상가를 지나가다 커플 운동화를 발견하던 날. 너는 그 운동화를 보고 반해서 같이 신고 싶다고 말했었잖아. 우리는 서로에게 맞는 크기의 운동화를 골라 구매를 하고 그 자리에서 곧장 커플 운동화를 신었는데 너는 집으로 돌아가는 동안 가벼운 발걸음으로 웃으며 걸었어. 알고 보니 커플 운동화를 사고 싶은 게 아니라 나랑 커플 운동화를 신고 걷는 모습을 꿈꿨다고 말했었는데. 나도 그런 너와 사랑하며 꿈같은 시간을 느낄 수 있어서 좋았어.

그런데 너랑 어느 순간 연락이 되지 않았어. 연락하면 연락이 되지 않는다는 차가운 기계음만 들려서 나는 집으로 찾아갔지만 다른 사람이 살고 있더라. 나는 어쩔 줄 몰라서 당황하는 사이에 시간은 1년이 흘러 내 나이가 벌써 30살이 되었어. 부모님은 결혼하라고 재촉하셨고, 부모님의 소개로 선을 봤는데. 내게는 과분할 정도로 대단한 사람이 나타났어. 대기업을 다니고, 운동을 오랫동안 하여 몸 좋고, 인상도 훌륭한 사람이었지. 그러나 내 마음에는 들지 않았고, 그 이후로 몇 번의 선을 받지만 내 마음은 변하지 않았어.

나는 흥신소에 방문하여 너를 찾아달라고 했지. 일주일 뒤에 흥신소 직원이 전화로 너의 행방을 말해줬어. 네가 죽었다고 말이야. 건널목을 걷다가 음주 운전자 때문에 교통사고를 당해서 구급차로 응급실로 이동하던 중에 과다출혈로 사망했다고, 휴대전화는 사고 현장에서 박살이 났다는 사실도 말이야. 그리고 지금은 납골당에 있다고 말해줬어. 나는 바로 네가 있다는 납골당에 갔지. 너의 환한 미소가 담긴 사진과 내가 선물해줬던 음반과 꽃이 가득했어. 나는 그 모습을 보고 오열을 했어. 너랑 나는 아름답게 피어나는 꽃 같은 사랑을 계속 나누고 싶었는데 말이야.

시간이 흘러 부모님은 건강 악화로 돌아가시고, 나는 60살의 독거노인이 되었지. 계속 너만을 그리워했고, 어느 날 하늘에서 내 기도를 들었는지 꿈에서 너한테 전하고 싶은 말을 편지로 쓰면 보낼 수 있다고, 12월의 마지막 날 저녁에 기다리면 편지를 전해주겠다고, 대신 너에 대한 기억을 잃는다고 말이야. 그렇지만 너와 짧으면서 긴 1년 동안의 연애는 행복했고, 계속 그리워하며 죽기 전에 이 말을 전하고 싶어서 편지를 보내.

너는 데이트할 때면 자기라고 부르며 웃어주고, 맛있는 음식을 먹고, 야경을 보면서 행복한 밤을 보내고, 미래를 그리면서 정원이 있는 집에서 강아지를 키우자고, 둘이서만 소박하게 언약식을 하며 사랑을 맹세하자고 했지.

나는 언약식을 하게 되면 너에게 키스를 하고 이 말을 하고 싶었어. 나 같은 사람을 사랑해줘서 고맙고, 우리 영원히 함께하자고. 너 같은 사람은 이 세상에 너밖에 없다고 말이야.

아직도 너를 그리워하고 사랑하는 미진이.

맛집에 관하여

맛집 찾는 5가지 방법을 알려주고 싶다.

1. 10초의 기적

사람들이 맛집을 찾기 위해 스마트폰으로 인터넷에 oo 맛집이라고 검색한다. 그러면 상위 노출이 되어 있는 맛집들이 화면에 나온다. 정말 맛있는 식당도 있지만, 돈으로 만든 맛집도 섞여 있다. 그래서 운이 좋지 않아 맛없는 식당에 방문한 경험이 있을 것이다.

그럴 때는 인터넷보다 네비게이션을 이용하면 좋다. 요즘 스마트폰의 네비게이션은 목적지를 검색하면 사람들이 그 목적지를 얼마나 검색했는지 알 수 있다. 10초만 투자하여 스마트폰의 네비게이션에 맛집을 검색하면 맛있는 식당에 방문할 확률이 높아질 것이다.

2. 공부는 필수

사실 아이스 아메리카노는 실패작인 음료이다.

아이스 아메리카노는 에스프레소를 차가운 얼음물에 섞어서 만드는 음료다. 에스프레소는 지방과 휘발성 물질이 다량으로 포함된 추출물이다. 지방과 휘발성 물질은 따듯한 온도로 조리를 하면 감칠맛과 풍미가 좋아진다. 그러나 뜨거운 에스프레소를 차가운 얼음물에 첨가하면 급격한 온도변화로 풍미가 나빠질 수 있다. 쉽게 설명하자면 뜨거운 삼겹살김치찌개를 시원하게 먹고 싶어서 얼음물에 첨가하는 것과 같다.

음식을 단순히 먹는 것보다 요리지식을 쌓아두면 좋다. 아는 만큼 맛있게 먹는다는 말이 있다. 공부하면 음식은 한 끗 차이로 맛이 달라진다는 사실을 알게 된다.

당신의 선택도 마찬가지다. 맛있는 음식을 먹기 위해 식당에 방문하여 메뉴를 선택한다. 기다림 끝에 음식이 나온다. 배고픈 당신은 수저로 음식을 집어 먹는다. 3초 정도 씹은 뒤 음식이 맛있는지 맛없는지 판별한다. 판별의 결과로 그날의 분위기가 결정된다. 이 상황이 만약 부모님과의 외식, 애인과의 데이트코스라면 어떻게 되겠는가.

사소함의 선택은 나비효과와 같다. 야경이 좋은 레스토랑에서 여러분의 입맛에 맞지 않는 선택을 하여 불행한 기억으로 남을 것인지. 아니면 라라랜드처럼 황홀한 분위기가 입과 기억에서 행복한 춤을 추는 추억으로 박제될 것인지. 당신의 지식에 달려있다.

3. 고수의 찬스

당신이 살던 동네가 아닌 다른 지역에 가면 낯설게 느껴진다. 여행을 가면 밥을 먹어야 하는데 오늘 뭐 먹을지, 어떤 곳이 맛있는지 알수 없다. 누가 도움을 주면 좋겠다는 생각이 들 것이다.

두 가지 방법이 있다. 첫 번째는 택시기사와 마을주민에게 묻는 것이다. 택시기사는 손님을 태우면서 여기저기 옮겨 다닌다. 지리와 정보력이 남들보다 뛰어나다. 그래서 맛있는 식당을 알 가능성이 크다. 또한, 맛있는 식사를 자주 하셔서 미각이 뛰어나신 분도 많고, 택시기사한테 맛없다는 소리를 들으면 안 되기 때문에 기사식당이 맛있는 것도 여기에 비롯된다. 마을주민도 오랫동안 머물렀기 때문에 지역의 특산물과 동네 맛집을 알고 있으며, 인터넷에서 맛집이라고 소문만 가득한 곳인지 아닌지 직접 다녀봐서 알 수 있다.

두 번째는 전문사이트를 이용하는 것이다. 한국에도 미슐랭 가이드가 존재하고, 음식평가 사이트가 있다. 전문가가 직접 평가하는 것이라서 음식에 대한 진지한 고찰을 느낄 수 있을 것이다.

4. 취향

검색 또는 지인의 추천으로 영화를 관람하고 실망한 경험이 있을 것이다. 그렇다면 여기서 질문이다. 실망한 영화는 관객 수가 높고 평론가한테 인정받은 영화다. 그 영화는 좋은 영화일까? 나쁜 영화일까?

정답은 상대적이다. 사람마다 취향이 다르기 때문이다. 당신은 달콤하고 담백한 음식을 좋아하는데, 매운 갈비찜을 전문으로 하는 식당에 방문하면 좋아할 수 있지만 싫어할 확률도 높다.

당신이 무슨 음식을 좋아하는지 알아야 식당에 방문했을 때, 음식을 맛있게 먹을 확률이 높다. 그러기 위해서 당신이 좋아하는 음식을 찾아보고, 같은 음식을 전문적으로 하는 곳을 여러 군데 다니는 것을 추천한다.

줏대 없이 오늘은 양식, 오늘은 한식, 오늘은 방송 맛집 가자면서 지뢰 찾기 하듯 떠나는 여행은 비추천한다.

5. 짜증은 금지

음식은 살기 위해 먹는 생존의 수단을 넘어 좋은 시간을 보내기 위한 매개체다.

당신은 부모님과 함께 저녁으로 고기집에서 외식을 했던 기억이 있을 것이다. 철판에서 맛있게 익어가는 고기와 김치. 부모님은 고기를 뒤집고 먹기 좋게 잘라 주신다. 그리고 어릴 적 여러분은 고기를 겉절이 또는 밥과 함께 먹으며 행복을 느낀다. 그 행복은 된장과 볶음밥으로 마무리하며 어린 날의 고기집에서 먹는 외식은 부모님의 따스함과 같은 기억으로 감싸준다.

당신은 성인이 되어 친구와 함께 모이면 술이 빠질 수 없을 것이다. 치킨, 탕, 구이 등을 주문하고 추억을 안주 삼아 술자리를 즐긴다. 직장의 상사가 마음에 들지 않아 뒷담을 하면 서로 공감을 하고, 사랑과 돈에 대해 이야기를 나누다가 술잔이 비어있으면 누가 먼저라고 할 것 없이 술을 따라준다. 그리고 건배하며 안부를 묻는다. 말과 말이 부대끼는 소리와 함께 분위기가 물들어간다.

나는 엄마와 함께 레스토랑에서 잊지 못할 런치코스의 추억을 남겼다. 평평하고 하얀 둥근 접시에 아름다운 작품들이 나오기 때문이었다. 에피타이저로는 꽃과 나비가 공존하는 정원처럼 아름다운 샐러드였다. 메인은 해산물들이 헤엄치는 산호숲을 옮겨 놓은 파스타, 디저트는 클림트의 키스처럼 화려하고 매혹적인 에끌레어와 퀸넬모양의 아이스크림 그리고 홍차가 제공되었다. 엄마는 고맙다고 오랫동안 기억에 남을 것 같다고 말씀하셨다.

우리는 단순히 먹는 것뿐만 아니라 행복한 추억을 남기기 위해 식당에 방문한다. 그러나 어디선가 누군가는 음식 앞에서 불평만 하고 있을 것이다. 맛있는데 가격이 그렇다, 여기까지 찾아서 먹을만한 음식이 아니다, 가성비가 안 좋다, 빨리빨리 주세요, 이거 먹을꺼면 다른 곳에서 먹는게 낫다 등 깨적거리면서 분위기를 암울하게 만들 것이다. 단언컨대 불만만 가득한 식사는 행복하고 맛있는 식사를 즐기는 것이 불가능하다.

나는 질문을 하고 싶다. 당신은 행복과 욕심 중에 무엇을 위해 맛집을 방문하십니까?

비밀

    나에게는 비밀이 있다. 그 비밀은 생각보다 흥미롭다. 나에게 도움이 되지만, 타인은 파멸만이 기다릴 뿐이다. 그러나 사람들은 나의 비밀을 알고 싶어서 접근한다. 멍청한 것인지 기적을 꿈꾸는 것인지 모르겠다.

    검은 웃음만이 나온다. 인류는 선진국을 이뤘다고 생각하지만, 아니다. 거짓에 거짓으로 쌓은 악의 경전을 기록하였을 뿐이다. 양파의 껍질을 벗겨내듯 거룩한 영웅은 한낱 초라한 존재일 뿐. 믿음을 위한 치켜세우기로 만든 허상이다. 그런데도 믿고 진리에 도달하려는 세계의 비밀을 파헤치려는 것일까.

    대가는 생각보다 크다. 잃게 되면 제물은 당신의 모든 것이다. 없던 일로 돌이킬 수 없다. 세상이 너를 기억하고 가만히 놔두지 않을 테니까. 악마는 가만히 있을 뿐, 인간이 너에게 다가와 영원한 고통을 선물할 것이리라.

이렇게 말했는데도 비밀을 알고 싶은가. 그럼 힌트를 줄게. 힌트의 대가는 너의 시간과 희망이다. 계약을 성립하고 힌트는 주겠다. 힌트는 오래전부터 당신이 사용하고 있는 것이다.

마녀사냥을 지켜보는 건 나의 은밀한 취미생활이다. 인간의 선행은 논리적으로 설명할 수 없다. 그러나 타락은 그 어떠한 와인보다 진하고 흥미롭지. 인터넷으로 뻘짓하는 동영상을 기록하는 수준보다 멍청하고 잔인하니까. 문명이 발전하였는데 동굴에서 벽화를 그린 시대의 사람 같다고 해야 할까. 막장드라마는 막장이 아니다. 오히려 더 현실적이다.

만약 비밀을 알았다면 되돌릴 수 없다. 이미 시간과 희망을 대가로 지불했으니까. 비밀을 아직 모르겠다면 희망과 시간을 지불한 것과 더 소중한 것을 대가로 가져갈 것이다.

당신에게 묻겠다. 당신은 정말 비밀에 도달할 수 있을까. 상처를 받고 영혼을 팔아, 당신은 바느질과 일기만 쓰고 있는 인생에 대해 거론하지만, 어떠한 사람도 운이 좋을 뿐이다.

당신이 선택하는 인생의 모든 것은 비밀이다. 비밀은 누구나 가지고 있지만, 당신에게만 충분하지 않은 것. 과거의 페스트, 현재의 코로나보다 무서운 악마. 그런 악마의 비밀을 원하는 건 어쩔 수 없는 인간이라는 변명일까.

잠은 오지 않고, 불야성은 영원하고. 눈이 멀어서 인간 최고의 발명품, 거짓말로 희망을 팔아 절망을 간직하게 만드는 세계. 흉측한 귀신의 모습보다 더 소름이 끼치는 심해의 세계에 꿈꾸는 것을 함몰시켜버리는데, 무엇을 위해 당신은 꿈을 꾸고 있는가.

눈앞에 천사인지, 악마인지. 구분되지 않는 순간의 세계에서 시간은 흐른다. 신은 아무것도 하지 않는다. 세상은 행복을 꿈꾸지만, 폭력으로 세계를 만든다. 사막에서 아른거리는 이미지는 당신의 세계와 다르지 않다. 착각하며 살고 있을 뿐이다.

그래도 왠지 그럴 듯하게 보이고 싶어서 희망을 산다. 인간의 특이한 강박과 깨트릴 수 없는 숙명이다. 태양이 지구를 파멸시키지 않는이상, 영원히.

지금도 어디선가 비명이 들린다. 비명은 당신에게는 들리지 않는다고 말하겠지만 이미 오래전부터 들었다. 인간의 섭리는 비밀이 아니고, 비밀이 비밀이다. 그걸 감추기 위해 비명은 비명을 낳고 있다. 아니라고 부정할 수 없다. 당신은 신물이 나도록 비명이 아닌 비밀을 말하고 있다.

누구도 이해 못 하는 세계에서, 비밀을 간직한 자는 신이 되어 비밀을 이야기한다. 이건 중동과 러시아의 전쟁과 다르지 않다. 어쩌면 더지독하다. 삶은 전쟁을 하는 것이라는 말이 틀리지 않는다. 블루마블처럼 독점은 유일한 승리일 뿐이다.

이를 부정하는 반작용이 등장한다. 세계의 질서를 다른 질서로 만들려고 한다. 그러나 질서를 실체로 만들지 못한다. 희생하는 세계에서 섭리를 바꿀 수 없다. 모든 것이 행복해진다는 건 불가능하니까.

부정하고 싶다면 당신이 1시간 동안 TV를 시청하고, 병원과 법원에서 반나절 동안 있으면 부정할 수 없다. 비밀을 파헤치다가 희생된 결과물이니까.

농담과 허세 같은가. 생명은 살기 위한 유전자의 노예다. 나의 비밀은 촉매제 같은 것이니까.

나의 비밀은 당신의 비밀이다. 비밀은 비밀일수록 더 잔혹하고 아름다운 법이니까.

당신이 잠든 사이 장미의 가시 돋친 덩굴이 소리 없는 뱀처럼 휘감아 뉴스와 현실이라는 괴리 속에서, 시간이 흐르면 잊히는 망각의 잔

혹동화라는 이름으로 부른다.

당신은 그래도 비밀을 알고 싶은가?

소금쟁이

스타카토로
연주를 한다

푸른 하늘이 흐르는
고요한 수면 위로

톡
톡
작고 동그란
소리가 퍼진다

푸른 노래

바다의 노래가 들려오면
모래 위에 작은 발자국을 남기고
파도는 어디론가 나의 꿈을 실어 보낸다

바람이 노래하는 저 바다에는
끝없이 펼쳐진 세계가 있고
별들이 춤추듯 빛나는 이야기가 있다

밀려오는 시간처럼
바다가 간직한 오래된 목소리에
작은 노래를 짓고

나는 그 무한한 푸르름에 맡겨
바다의 노래에 귀 기울이며
삶의 끊임없는 흐름과 함께 춤추리라

봐봐, 생각날 거 같지?

발행 2024년 1월 10일

지은이 원규비, 라빔, 하이, 이지민, 정주영, 포도주, 이철회

라이팅리더 조주헌

디자인 윤소현

펴낸이 정원우

펴낸곳 글ego

출판등록 2019.06.21 (제2019-67호)

주소 서울시 강남구 강남대로 118길 24 3층

이메일 writing4ego@gmail.com

홈페이지 http://egowriting.com

인스타그램 @egowriting

ISBN 979-11-6666-437-3